L. Ruggieri   S. Magnelli   T. Marin

nuovissimo
PROGETTO
italiano

Corso di lingua
e civiltà italiana

A1 - A2

Quaderno
degli esercizi

EDILINGUA

I edizione: maggio 2019
ISBN: 978-88-99358-52-5
Quaderno degli esercizi (+ CD audio)
ISBN: 978-88-99358-56-3 Edizione per
insegnanti (+ CD audio)

Redazione:
Antonio Bidetti, Anna Gallo, Sonia Manfrecola,
Laura Piccolo, Elisa Sartor, Natia Sità
Ha collaborato:
Matteo La Grassa

Foto: Shutterstock, Telis Marin
Foto copertina: Telis Marin

Impaginazione e progetto grafico:
Edilingua
Registrazioni audio e produzione video:
Autori Multimediali, Milano

© **Copyright edizioni Edilingua**
Sede legale
Via Alberico II, 4 00193 Roma
Tel. +39 06 96727307
Fax +39 06 94443138
info@edilingua.it
www.edilingua.it

Deposito e Centro di distribuzione
Via Moroianni, 65 12133 Atene
Tel. +30 210 5733900
Fax +30 210 5758903

L. Ruggieri è insegnante di italiano come LS. Si è laureata in Lingue e Letterature Straniere all'Università degli Studi di Milano. Ha conseguito il dottorato presso l'Università di Granada, dove collabora come ricercatrice nell'ambito degli studi di linguistica e letteratura comparata con il /Grupo de investigaciones filológicas y de cultura hispánica/.

S. Magnelli insegna Lingua e Letteratura italiana presso il Dipartimento di Italianistica dell'Università Aristotele di Salonicco. Dal 1979 si occupa dell'insegnamento dell'italiano come LS; ha collaborato con l'Istituto Italiano di Cultura di Salonicco, nei cui corsi ha insegnato fino al 1986. Da allora è responsabile della progettazione didattica di Istituti linguistici operanti nel campo dell'italiano LS.

T. Marin dopo una laurea in Italianistica ha conseguito il Master Itals (Didattica dell'italiano) presso l'Università Ca' Foscari di Venezia e ha maturato la sua esperienza didattica insegnando presso varie scuole d'italiano. È direttore di Edilingua e autore di diversi testi per l'insegnamento della lingua italiana: *Nuovo Progetto italiano 1, 2, 3* (Libro dello studente), *Progetto italiano Junior 1, 2, 3* (Libro di classe), *La Prova Orale 1 e 2, Primo Ascolto, Ascolto Medio, Ascolto Avanzato, Nuovo Vocabolario Visuale, Via del Corso Video* e coautore di *Via del Corso A1, A2, B1, Nuovo Progetto italiano Video* e *Progetto italiano Junior Video.* Ha tenuto numerosi workshop sulla didattica in tutto il mondo.

Gli autori e l'editore sentono il bisogno di ringraziare i tanti colleghi che, con le loro preziose osservazioni, hanno contribuito al miglioramento di questa edizione aggiornata.

Un sincero ringraziamento, inoltre, va agli amici insegnanti che, visionando e provando il materiale in classe, ne hanno indicato la forma definitiva.

Infine, un pensiero particolare va ai redattori e ai grafici della casa editrice per l'impegno profuso.

Edilingua sostiene

Grazie all'adozione di questo libro, Edilingua adotta a distanza dei bambini che vivono in Asia, in Africa e in Sud America. Perché insieme possiamo fare molto! Ulteriori informazioni nella sezione "Chi siamo" del nostro sito.

Stampato su carta priva di acidi, proveniente da foreste controllate.

Gli autori apprezzerebbero, da parte dei colleghi, eventuali suggerimenti, segnalazioni e commenti sull'opera (da inviare a redazione@edilingua.it)

Premessa

Il **Quaderno degli esercizi di Nuovissimo Progetto italiano 1** è l'edizione aggiornata dell'eserciziario di un moderno corso d'italiano per stranieri di livello A1-A2 del Quadro Comune Europeo di Riferimento per le Lingue.

Il fatto che *Nuovo Progetto italiano* venisse utilizzato con successo da migliaia di docenti in tutto il mondo e in vari contesti didattici, ci ha permesso di raccogliere numerosi commenti, consigli e suggerimenti grazie ai quali abbiamo potuto valutare le modifiche da apportare per creare una nuova edizione nel rispetto sempre della filosofia dell'edizione precedente, apprezzata da tanti colleghi che sono "cresciuti" professionalmente usando il manuale.

Non siamo quindi partiti dal presupposto di modificare radicalmente il Quaderno, ma ci si è messi al lavoro con la consapevolezza di voler apportare dei miglioramenti. I principali punti su cui siamo intervenuti riguardano:

- una maggiore varietà di tipologie per una maggiore motivazione;
- meno attività a risposta aperta, che a nostro avviso potevano risultare demotivanti per gli studenti di oggi, abituati sempre di più a input e attività meno lunghi. Quindi, adesso ci sono più esercizi di abbinamento, scelta multipla e riordino;
- un'accurata revisione del lessico e una maggiore coerenza tra Quaderno degli esercizi e Libro dello studente. In questo modo gli studenti, incontrando meno parole sconosciute, diventano più autonomi nello svolgimento degli esercizi;

- l'approccio a spirale per la ripresa di strutture e lessico incontrati in unità precedenti. Questo tranquillizza gli studenti e favorisce il consolidamento dei contenuti;
- nuovi esercizi di reimpiego per ogni unità sugli elementi lessicali e comunicativi trattati: *repetita juvant*;
- la revisione delle consegne per rendere più autonomi gli studenti nella comprensione e nello svolgimento del compito;
- l'apparato iconografico, completamente a colori, è stato rinnovato e ampliato. Lo scopo è avere pagine piacevoli, non troppo cariche, che rispecchino la realtà italiana.

In questa edizione aggiornata del Quaderno, le attività seguono sempre la suddivisione per sezioni del Libro dello studente e l'organizzazione dei rimandi all'interno di quest'ultimo.
Come nel Libro dello studente, anche nel Quaderno degli esercizi, i brani audio sono stati registrati da attori professionisti e sono più naturali e spontanei. *Nuovissimo Progetto italiano 1* ha un doppio CD audio: uno in versione "naturale", allegato al Quaderno degli esercizi, e un altro in versione "rallentata", disponibile sul sito di Edilingua e sulla piattaforma didattica i-d-e-e.it. Questa versione è pensata soprattutto per studenti la cui lingua materna è lontana dall'italiano, ma anche come primo ascolto di un dialogo al fine di facilitare la comprensione e abbassare il filtro affettivo.

Il Quaderno degli esercizi, oltre alle varie esercitazioni progettate tenendo presenti le tipologie delle certificazioni Celi, Cils e Plida, comprende i test finali, presenti al termine di ciascuna unità (da proporre dopo le pagine di civiltà), 4 test di ricapitolazione (uno ogni tre unità), un test generale finale e due Giochi didattici, tipo "gioco dell'oca": il primo riprende gli input più significativi delle prime 6 unità e il secondo è un riepilogo dell'intero libro.

In conclusione, nella stesura del Quaderno degli esercizi di *Nuovissimo Progetto italiano 1* si è sempre cercato di rendere semplici e piacevoli le esercitazioni, anche attraverso l'uso di una lingua il più possibile contestualizzata e vicina alla realtà.

La piattaforma i-d-e-e.it

Nella seconda di copertina del volume gli studenti trovano un codice di accesso alla piattaforma didattica i-d-e-e.it. Questo codice fornisce accesso gratuito per 12 mesi (dal momento dell'attivazione) ai seguenti materiali didattici e strumenti:

- gli esercizi del Quaderno completamente interattivi, con correzione e valutazione automatica. Gli studenti possono svolgerli in piena autonomia e ripeterli in qualsiasi momento se desiderano esercitarsi di più;
- gli episodi video e le puntate del Quiz;
- le tracce audio in modalità naturale e rallentata;
- i nuovi Giochi digitali, un'esclusiva di Edilingua, che permettono un ripasso divertente ed estremamente efficace;
- la Grammatica interattiva, test e giochi preparati dall'insegnante, lo spazio classe ecc.

Inoltre, su i-d-e-e gli studenti possono acquistare diversi libri in versione e-book (il Libro dello studente, letture semplificate, il Nuovo Vocabolario visuale, i Verbi e altro) e tanti altri materiali (video, audio).

Su i-d-e-e gli insegnanti, da parte loro:

- vedono i risultati degli esercizi svolti dai loro studenti e gli errori commessi da ciascuno. Questo gli permette, inoltre, di dedicare meno tempo alla correzione degli esecizi in aula;
- trovano tutti i video del corso;
- possono assegnare alle proprie classi decine di test e giochi già pronti, personalizzandoli, o crearne di nuovi;
- trovano il software per la Lavagna Interattiva Multimediale di *Nuovissimo Progetto italiano 1* (disponibile anche in versione offline su DVD-ROM);
- possono consultare altri libri didattici di Edilingua.

Giochi

Questo simbolo, che gli studenti trovano a metà e alla fine di ogni unità del Quaderno degli esercizi, indica che sulla piattaforma i-d-e-e sono disponibili i nostri nuovi Giochi digitali (*Cartagio, Luna Park, Il giardino di notte, Orlando* e *Sogni d'oro*) che permettono allo studente di ripassare i contenuti dell'unità.

Gli studenti, adulti e giovani adulti, possono accedervi gratuitamente e giocare quanto vogliono, avendo un illimitato numero di tentativi. Alcuni elementi di *gamification* (raccolta di monete e badge, livelli da superare e classifiche) hanno lo scopo di rendere l'esperienza ancora più motivante. Attraverso la ripetizione e la varietà gli studenti consolidano inconsapevolmente i contenuti incontrati, imparano senza la "paura di sbagliare".

E l'insegnante? Dal suo account i-d-e-e può monitorare l'andamento degli studenti, ovvero le percentuali di risposte corrette, ma non gli errori commessi, visto che si tratta di attività ludiche. Inoltre, ha a disposizione dei giochi di ripasso che può assegnare alle sue classi.

Buon lavoro!
Gli autori

Tutti gli esercizi sono disponibili in formato interattivo su www.i-d-e-e.it

Quaderno degli esercizi

1 a Maschile o femminile? Abbina i nomi e gli aggettivi a Maria o a Gino, come nell'esempio.

MARIA

GINO

Maria	**ragazza**	Gino	**ragazzo**
Maria	**amica**	Maria	**bella**
Gino	**studente**	Gino	**alto**
Maria	**argentina**	Gino	**italiano**

b Scegli la parola giusta, come nell'esempio in blu. Vedi anche l'Approfondimento grammaticale a pag. 192 del Libro dello studente.

gatto | <u>gatti</u>   <u>casa</u> | case   chiave | <u>chiavi</u>   medico | <u>medici</u>

gelato | <u>gelati</u>   <u>pesce</u> | pesci   ragazzo | <u>ragazzi</u>   <u>finestra</u> | finestre

<u>cappuccino</u> | cappuccini   chitarra | <u>chitarre</u>   <u>gondola</u> | gondole

2 a Scrivi le parole al plurale, come nell'esempio in blu.

1. lezione — *lezioni*
2. studente — *studenti*
3. giornale — *giornali*
4. treno — *treni*

5. notte — *notti*
6. lettera — *lettere*
7. porta — *porte*
8. libro — *libri*

b Scrivi il plurale, come nell'esempio.

1. casa nuova — *case nuove*
2. libro aperto — *libri aperti*
3. giornale italiano — *giornali italiani*

4. gelato piccolo — *gelati piccoli*
5. borsa rossa — *borse rosse*
6. studente americano — *studenti americani*

3 Pronuncia. Inserisci le parole nella colonna corretta, come nell'esempio in blu.

difficile ♦ lingua ♦ gondola ♦ giornale ♦ americano ♦ pagina ♦ ciao ♦ piccolo ♦ dieci

... come ca**ff**è	... come limon**c**ello	... come ga**ll**eria	... come **g**elato
americano, piccolo	difficile, ciao, dieci	lingua, gondola	giornale, pagina

4 Fai l'abbinamento come nell'esempio.

1. Io (*b*)
2. Tu (*e*)
3. Peter (*a*)
4. Noi (*f*)
5. Tu e John (*c*)
6. Naomi e Osvaldo (*d*)

a. è tedesco.
b. sono marocchino.
c. siete americani?
d. sono brasiliani.
e. sei spagnolo?
f. siamo australiane.

5 Completa con il verbo *essere*.

1. Voi _____*siete*_____ italiani?
2. Tu _____*sei*_____ argentino.
3. Noi _____*siamo*_____ studenti.
4. Io _____*sono*_____ Giulia, piacere!
5. Maria _____*è*_____ alta.
6. Le finestre _____*sono*_____ aperte.

6 Scrivi l'articolo singolare corretto.

1. _il_ calcio
2. _l'_ uscita
3. _lo_ stivale
4. _il_ vestito
5. _il_ pesce

6. _la_ casa
7. _l'_ isola
8. _l'_ immagine
9. _l'_ aereo
10. _lo_ sport

7 Completa con l'articolo corretto, come nell'esempio in blu.

 _il_ gatto

 _la_ macchina

_lo_ zio

 _le_ chiavi

_l'_ arte

 gli spaghetti

 _l'_ albero

_i_ treni

 _lo_ zaino

 _le_ case

8 Trasforma al singolare o al plurale, come nell'esempio.

la casa → _le case_

1. il ristorante → _i ristoranti_
2. l'isola → _le isole_
3. _lo zio_ → gli zii
4. l'aereo → _gli aerei_

5. _la finestra_ → le finestre
6. _l'opera_ → le opere
7. la notte → _le notti_
8. il cappuccino → _i cappuccini_

9 a Trasforma al plurale. Vedi anche l'Approfondimento grammaticale a pag.192 del Libro dello studente.

1. il caffè → _i caffè_
2. la città → _le città_
3. il cinema → _i cinema_
4. l'auto → _le auto_
5. lo sport → _gli sport_

6. il bar → _i bar_
7. il problema → _i problemi_
8. il turista → _i turisti_
9. l'ipotesi → _le ipotesi_
10. la regista → _le registe_

b Abbina gli aggettivi ai nomi e scrivi l'articolo corretto.

1. _le_ bariste *giovani*
2. _i_ caffè *amari*
3. _i_ film *nuovi*
4. _il_ turista *spagnolo*
5. _la_ città *italiana*
6. _le_ auto *rosse*

ROSSE
ITALIANA
SPAGNOLO
GIOVANI
AMARI
NUOVI

10 a Osserva le immagini e forma 6 frasi, come nell'esempio in blu.

vestiti ♦ Federica
ragazze ♦ albero ♦ casa
museo ♦ studenti

1. Federica è bella.
2. Le ragazze sono italiane.
3. L'albero è alto.
4. Il museo è aperto.
5. La casa è moderna.
6. I vestiti sono nuovi.
7. Gli studenti sono australiani.

bella ♦ nuovi
italiane ♦ moderna
aperto ♦ alto ♦ australiani

b Trasforma le frasi dell'esercizio 10a dal singolare al plurale o dal plurale al singolare, come nell'esempio.

1. Federica e Gabriella sono belle.
2. La ragazza è italiana.
3. Gli alberi sono alti.
4. I musei sono aperti.
5. Le case sono moderne.
6. Il vestito è nuovo.
7. Lo studente è australiano.

11 Fai l'abbinamento come nell'esempio.

1. Tu *(c)*
2. Io *(e)*
3. Maria e Gino *(f)*
4. Noi *(d)*
5. Carmen *(a)*
6. Tu e Gloria *(b)*

a. ha un fratello.
b. avete un amico americano.
c. hai una bella casa.
d. abbiamo una sorella.
e. ho un libro nuovo.
f. hanno un gatto.

12 Completa con il verbo *avere*.

1. Francesco è piccolo, ...*ha*...... 7 anni.
2. ......*Hai*...... tu le chiavi?
3. Noi ...*abbiamo*... un problema.
4. Io ......*ho*...... due fratelli.
5. Gli zii ...*hanno*... una macchina nuova.
6. ...*Avete*... voi il giornale?

13 Completa come nell'esempio.

Io *mi chiamo* Andrea.

1. Tu ...*ti chiami*... Maria?
2. Lui ...*si chiama*... Piero.
3. Io ...*mi chiamo*... Sabrina.
4. Il gatto ...*si chiama*... Gigi.
5. Lei ...*si chiama*... Lia.
6. E tu, come ...*ti chiami*...?

14 a Leggi la scheda e completa la presentazione di Mariella.

Nome: Mariella
Cognome: Console
Nazionalità: italiana
Nata a: Roma
Età: 19 anni

Ciao, *mi chiamo/sono* Mariella Console, sono *italiana*, di Roma, ...*ho*... 19 anni.

b Completa il dialogo.

• Ciao, io ...*sono*... Matteo.
• *Piacere*, Matteo! Io sono Jane.
• Quanti ...*anni*... hai, Jane?
• Ho 24 ...*anni*.... E tu?
• Io ho 27 anni. ...*Sei*... americana?
• No, ...*sono*... inglese, ...*di*... Liverpool.

A Completa gli spazi blu con il verbo *essere* e gli spazi rossi con il verbo *avere*.

Paolo ___è___ (1) italiano, ___è___ (2) di Napoli e ___ha___ (3) 22 anni. Lui ___ha___ (4) molti amici: Ana e Dolores ___sono___ (5) spagnole e ___hanno___ (6) 21 anni; Jonathan ___è___ (7) australiano e ___ha___ (8) 20 anni; Beatriz, Cristina e Vitória ___sono___ (9) brasiliane e ___hanno___ (10) 22 anni.

B Scegli l'articolo corretto.

_b_ (1) libro   a. la   b. il   c. lo

_b_ (2) stivale   a. la   b. lo   c. il

_b_ (3) latte   a. la   b. il   c. le

_a_ (4) casa   a. la   b. le   c. il

_c_ (5) aereo   a. il   b. lo   c. l'

_b_ (6) italiani   a. i   b. gli   c. l'

C Scegli il plurale corretto.

aereo → _c_ (1)
a. le aree
b. l'aerei
c. gli aerei

città → _a_ (2)
a. le città
b. i città
c. le citté

sport → _c_ (3)
a. i sport
b. le sport
c. gli sport

giornale → _a_ (4)
a. i giornali
b. le giornali
c. gli giornali

problema → _c_ (5)
a. i problema
b. li problemi
c. i problemi

zio → _b_ (6)
a. le zie
b. gli zii
c. gli zia

D Osserva i disegni e risolvi il cruciverba.

Risposte giuste: ..../30

Giochi

Un nuovo inizio

Unità 1

Quaderno degli esercizi

1 Completa i verbi.

1. • Maria, cosa guard*i*...? • Guardo un film di Fellini.
2. • Dove abiti? • Abit*o*... a Milano.
3. • Cosa ascolt*i*...? • Ascolto un CD di Marco Mengoni.
4. • A che ora parti domani? • Part*o*... alle sette.
5. • Che cosa scrivi? • Scriv*o*... una lettera.
6. • Dove lavori? • Lavor*o*... in un bar.
7. • Parl*i*... italiano? • No, non parlo italiano.
8. • Cosa leggi? • Legg*o*... il giornale.

Federico Fellini

2 Completa le frasi con i verbi dati.

apre ◆ lavora ◆ parti ◆ parla ◆ ascolta ◆ prende ◆ arrivo ◆ abita

1. Il bar vicino a casa mia ....*apre*....... alle 6.
2. La mattina Luisa ....*prende*....... due caffè.
3. Mario, a che ora ....*parti*....... per Torino?
4. Marco ....*parla*....... tre lingue!
5. Gianna ....*lavora*....... in un giornale.
6. Io ....*arrivo*....... a casa alle 5.
7. Giovanni ....*ascolta*....... musica straniera.
8. Giulia ....*abita*....... a Roma.

3 Scegli l'alternativa corretta.

1. Roberto costruisce/costruite una nuova casa.
2. Oggi io e Marco finite/finiamo di lavorare alle 3.
3. Io pulisci/pulisco il bagno e tu pulisci/pulisce la cucina.
4. Aldo, quando spedisci/spediscono l'email?
5. Il film finisce/finisco tra dieci minuti.
6. Quando sono in metro preferisco/preferisce ascoltare musica.
7. Brigitte e Laura capite/capiscono molto bene l'italiano.
8. Laura, preferiamo/preferisci una pizza o un panino?

4 Completa le frasi con la forma corretta dei verbi.

1. Io _____preferisco_____ (preferire) il vestito rosso, è più bello.
2. La lezione _____finisce_____ (finire) alle 11.
3. Francesco e io _____prendiamo_____ (prendere) il treno.
4. Marta _____cucina_____ (cucinare) molto bene.
5. Ragazzi, _____aprite_____ (aprire) le finestre, per favore?
6. Loro _____lavorano_____ (lavorare) ogni giorno dalle 9 alle 18.
7. Lucien, _____scrivi_____ (scrivere) bene in italiano! Complimenti!
8. Noi _____parliamo_____ (parlare) lo spagnolo e _____capiamo_____ (capire) un po' l'italiano.

5 Completa i mini dialoghi con la forma corretta dei verbi.

1. • Ciao ragazze. Cosa _____prendete_____ (prendere)?
   • Io _____prendo_____ (prendere) un caffè, Maria _____prende_____ (prendere) un gelato.

2. • Giulia, parli l'inglese?
   • Sì, parlo l'inglese e _____capisco_____ (capire) anche il francese.

3. • Tu e Maria aprite un ristorante?
   • Sì, _____apriamo_____ (aprire) un ristorante in centro.

4. • Luca, _____offro_____ (offrire) io la pizza!
   • Grazie!

5. • A che ora _____parte_____ (partire) il treno?
   • Alle 10:23.

6. • Ragazze, cosa mangiate?
   • _____Mangiamo_____ (Mangiare) una pizza.

7. • Dove sono i ragazzi?
   • Sono qui, _____leggono_____ (leggere) un libro.

8. • Di dove siete?
   • Siamo di Firenze, ma _____abitiamo_____ (abitare) a Genova.

Palazzo della Borsa in Piazza De Ferrari, Genova

6 Completa le frasi, come nell'esempio in blu.

La farmacia chiude alle sette.
Le farmacie _____chiudono_____ alle sette.

1. Margaret capisce bene l'italiano.
   Margaret e Monique _____capiscono_____ bene l'italiano.

2. Sara non prende l'autobus.
   Sara e Tiziana non _____prendono_____ l'autobus.

3. Francesca telefona a Sergio ogni giorno.
Francesca e Piera ....*telefonano*........ a Sergio ogni giorno.

4. Andrea parla molto.
Patrizia e Giovanna ....*parlano*........ molto.

5. Gianni pulisce la casa ogni sabato.
Gianni e Gigi ....*puliscono*........ la casa ogni sabato.

6. Aldo legge il *Corriere della Sera*.
Aldo e Luisa ....*leggono*........ il giornale.

7 Trasforma le frasi, come nell'esempio.

Rispondo a tutte le domande.
Teresa *risponde a tutte le domande*.

1. Mangio al ristorante ogni giorno.
Ragazzi, perché *mangiate al ristorante ogni giorno*?

2. Comincio a lavorare alle 9 e finisco alle 2.
Voi *cominciate a lavorare alle 9 e finite alle 2*.

3. Quando torno a casa, la sera, cucino.
Tu *quando torni a casa, la sera, cucini*?

4. Vivo in Italia da un anno, ma non capisco bene l'italiano.
Marcelo *vive in Italia da un anno, ma non capisce bene l'italiano*.

5. Quando ho tempo, preferisco leggere un libro.
Noi *quando abbiamo tempo, preferiamo leggere un libro*.

8 Metti in ordine le parole per formare le frasi. Comincia con la parola blu.

1. le | alle 8 | scuole | aprono
Le scuole aprono alle 8.

2. Roma, | Maria | vivono a | e Vittoria | in centro
Maria e Vittoria vivono a Roma, in centro.

3. telefona a | Giacomo | sera | Luisa ogni
Giacomo telefona a Luisa ogni sera.

4. in un | giornale da | lavora | due anni | Michela
Michela lavora in un giornale da due anni.

5. al ristorante | Giulio | mangia | non
Giulio non mangia al ristorante.

6. per | treno | giorno | prende il | Lia ogni | Milano
Lia ogni giorno prende il treno per Milano.

9 Completa con l'articolo indeterminativo.

1. ....un.... amico italiano
2. ...una... ragazza francese
3. ....un.... libro d'inglese
4. ...uno.... sport interessante

5. ....un.... problema importante
6. ...una.... finestra aperta
7. ....un'.... amica gentile
8. ...uno.... zio simpatico

10 Completa gli spazi blu con i verbi e gli spazi rossi con gli articoli indeterminativi.

Ciao! Piacere, io sono Joseph, ...uno...... (1) studente di italiano. ......Studio...... (2. Studiare) l'italiano a Firenze, in ....una..... (3) scuola in centro. La scuola è molto bella e c'è anche ......un...... (4) bar. In classe noi .....siamo..... (5. essere) sette studenti: io, Hamid, Juanita, Letícia, Lee, John e Nate, che ....sono....... (6. essere) due fratelli americani. Abbiamo ......un'..... (7) insegnante molto simpatica, Marina. Lei ....è....... (8. essere) italiana, di Napoli. Noi ....abitiamo.... (9. abitare) tutti in centro.

11 a Guarda i disegni e forma 6 frasi, come nell'esempio in blu.

Valeria ♦ giardino ♦ amiche ♦ farmacia ♦ libro ♦ case ♦ studente
verde ♦ intelligente ♦ chiusa ♦ italiane ♦ bionda ♦ interessante ♦ piccole

1. *Il giardino è verde.*
2. *La farmacia è chiusa.*
3. *Lo studente è intelligente.*
4. *Le case sono piccole.*

5. *Le amiche sono italiane.*
6. *Il libro è interessante.*
7. *Valeria è bionda.*

b Trasforma le frasi dell'esercizio 11a dal singolare al plurale o dal plurale al singolare, come nell'esempio.

1. *I giardini sono verdi.*
2. *Le farmacie sono chiuse.*
3. *Gli studenti sono intelligenti.*
4. *La casa è piccola.*

5. *L'amica è italiana.*
6. *I libri sono interessanti.*
7. Luisa e Valeria *sono bionde.*

12 Completa le domande.

Giochi

1. Ciao, _____ *come* _____ ti chiami?

2. Di _____ *dove* _____ sei?

3. _____ *Quanti* _____ anni hai?

4. _____ *Dove* _____ abiti? In centro?

5. _____ *Che* _____ musica ascolti?

6. Da _____ *quanto* _____ tempo studi l'italiano?

13 Scrivi le domande.

1. • *Dove abiti?*
   • Abito in Italia, a Perugia.

2. • *Perché sei in Italia?*
   • Sono in Italia per imparare la lingua.

3. • *Come ti chiami?*
   • Mi chiamo Francesca.

4. • *Quanti anni hai?*
   • Ho vent'anni.

5. • *Maria è brasiliana?*
   • No, Maria è spagnola, non brasiliana.

6. • *Sei straniera?/Sei brasiliana?*
   • Sì, sono brasiliana, di San Paolo.

7. • *Di dove sei?/Dove abiti?*
   • Sono di Napoli, ma abito a Roma.

8. • *Per andare in centro?*
   • Prendi l'autobus numero 40.

14 Trasforma le frasi dal *tu* al *Lei* o dal *Lei* al *tu*.

1. Scusi, per andare in centro? *Scusa, per andare in centro?*
2. Sei straniera, vero? *È straniera, vero?*
3. Ciao, come ti chiami? *Buongiorno/Buonasera, come si chiama?*
4. Ciao Giulio, a domani. *ArrivederLa*, professore, a domani.
5. Gloria, dove abiti? Signor Casseri, *dove abita?*
6. Signora, a che ora prende l'autobus? Claudio, *a che ora prendi l'autobus?*

15 Guarda le foto e indica l'aggettivo corretto.

1. Chiara ha i capelli
   neri | <u>rossi</u>

2. Lucia ha 20 anni: è
   <u>giovane</u> | anziana

3. Valeria ha i capelli
   corti | <u>lunghi</u>

4. Mario è
   <u>alto</u> | basso

5. Rita è
   triste | <u>allegra</u>

6. Roberto Benigni è
   <u>simpatico</u> | antipatico

16 Completa con *a*, *in*, *di*, *da*, *in*, *per*.

Ciao, mi chiamo Alicia e sono spagnola, *di* (1) Madrid. Sono *in* (2) Italia *da* (3) pochi giorni. Abito *a* (4) Perugia, *in* (5) via Rocchi. Sono qui *per* (6) imparare l'italiano all'Università per Stranieri.
I miei compagni sono molto simpatici e la sera mangiamo spesso insieme. Perugia è una città piccola, ma molto bella!

Perugia

A Completa con l'articolo determinativo o indeterminativo.

Tommy è ...un.. (1) cane molto simpatico e intelligente. Vive a Pisa, in ..una.. (2) casa con un grande giardino. .....Il.... (3) suo migliore amico è Chicco, ...un... (4) gatto nero con ...gli... (5) occhi verdi, che non mangia ....il.... (6) pesce! Tommy, invece, mangia molto, anche ..la.... (7) pizza e ..gli... (8) spaghetti, e dorme tutto ....il.... (9) giorno.

Chicco e Tommy

B Scegli l'alternativa corretta.

1. Signora, ..b.. (1) un caffè o ..a.. (2) un cappuccino?
   - (1) a. prendi
   -      b. prende
   -      c. prendo
   - (2) a. preferisce
   -      b. preferisco
   -      c. preferisci

2. Gli amici di Luana ..c.. (1) stasera: ..b.. (2) il treno delle 9.
   - (1) a. partite
   -      b. partiamo
   -      c. partono
   - (2) a. prendo
   -      b. prendono
   -      c. prendete

3. Giorgio e Riccardo non ..c.. (1) bene l'inglese, però ..c.. (2) tutto.
   - (1) a. parla
   -      b. parliamo
   -      c. parlano
   - (2) a. capisce
   -      b. capite
   -      c. capiscono

4. • Io sono Stefano, piacere.
   • ..b.. (1) Io sono Valeria.
   - (1) a. Ci vediamo!
   -      b. Piacere!
   -      c. Arrivederci!

5. • Buongiorno, signora Letta.
   • Buongiorno, ..a.. (1), Lorenzo?
   • Bene, grazie!
   - (1) a. come stai
   -      b. complimenti
   -      c. scusi

6. Io ..a.. (1) questo lavoro e ..b.. (2) per le vacanze.
   - (1) a. finisco
   -      b. finisci
   -      c. finite
   - (2) a. parti
   -      b. parto
   -      c. parte

7. Marco non _b_ (1) la casa il sabato perché _c_ (2).

   (1) a. puliamo   (2) a. lavoro
        b. pulisce   b. lavori
        c. pulisci   c. lavora

8. È un libro _c_ (1), ma molto _a_ (2).

   (1) a. difficili   (2) a. interessante
        b. difficoltà   b. interesse
        c. difficile   c. interessanti

C Risolvi il cruciverba.

Risposte giuste: .... / 30

Giochi

Tempo libero

Unità 2

Quaderno degli esercizi

1 Fai l'abbinamento.

1. Antonio e Sergio amano lo sport: *(e)*
2. Quest'anno dove *(a)*
3. Domani Maria e Bruno *(d)*
4. Qualche volta io *(c)*
5. Domani sera cosa facciamo, *(f)*
6. Se andate al supermercato, vengo *(b)*

a. andate tu e Mariella in vacanza?
b. anch'io per prendere il latte.
c. vado a mangiare al ristorante.
d. vengono a casa mia.
e. vanno in palestra due volte alla settimana.
f. andiamo al cinema?

2 Completa gli spazi blu con il presente indicativo di *andare*
e gli spazi rossi con il presente indicativo di *venire*.

1. Noi, il fine settimana, ...*andiamo*.......... spesso al lago.
2. Luca e Maria ....*vanno*.......... in vacanza in Sardegna.
3. Franco, se ....*vai*.......... al cinema, ...*vengo*.......... anch'io con te.
4. Giorgia, ...*vieni*.......... con noi al bar a bere qualcosa?
5. Marta ....*va*.......... in Francia per lavoro.
6. Quando ho un po' di tempo libero, ...*vado*.......... a giocare a calcio.
7. Ragazzi, ...*andate*.......... in centro in autobus o ....*venite*.......... in macchina con noi?
8. Gino ....*viene*.......... a prendere il caffè da me. Perché non ....*venite*.......... anche voi?

Lago di Garda

3 Completa le frasi con il presente indicativo di *andare* o *venire*.

1. Mario, venerdì sera noi ....*andiamo*.......... al concerto dei Negramaro. ....*Vieni*.......... con noi?
2. Domani pomeriggio Lucia e Bruno non possono ....*venire*.......... a casa tua: ....*vanno*.......... in piscina.
3. Vincenzo, ...*vai*.......... all'università? Io ....*vengo*.......... con te.
4. Oggi stiamo a casa, non ....*veniamo*.......... a ballare con voi.
5. Ciao mamma, ...*vado*.......... in palestra con Luca.
6. Ragazze, oggi ....*venite*.......... in ufficio con me?
7. ....*Vengono*.......... anche Martina e Lia
al cinema con noi stasera!
8. Monica ....*va*.......... in centro con la
metro o ....*va*.......... in macchina
con Francesca?

4 Completa i verbi. Vedi anche l'Approfondimento grammaticale a pag. 196 del Libro dello studente.

1. • Aldo, cosa cerch*i* nello zaino? • Cerc*o* il libro di storia.
2. Nicola, perché non da*i* il giornale a Giuseppe?
3. I ragazzi esc*ono* stasera?
4. Voi sap*ete* a che ora parte il treno?
5. Aldo e Massimo sono medici, fa*nno* un lavoro molto interessante.
6. Domani, la classe 3F cominci*a* la lezione alle 11. Noi, ragazzi, cominci*amo* alle 10.

5 a Completa le frasi con i verbi dati.

uscite ♦ dà ♦ fanno ♦ andate ♦ giochiamo ♦ sapete ♦ paghi ♦ venite ♦ sa ♦ stai

1. Noi *giochiamo* molto bene a tennis.
2. Ciao, Mario, come *stai*?
3. Scusi signora, *sa* dov'è via Mazzini?
4. Signora Risi, *dà* Lei queste lettere al signor Risi?
5. Offro sempre io il caffè, questa volta *paghi* tu!
6. Nel tempo libero Gina e Lorella *fanno* tante cose.
7. Ragazzi, se sabato non *sapete* cosa fare, perché non *venite* in montagna con noi?
8. Perché tu e Giulio non *uscite*? Perché qualche volta non *andate* al cinema o a teatro?

b Completa le frasi con il presente indicativo dei verbi dati. Vedi anche l'Approfondimento grammaticale a pag. 196 del Libro dello studente.

1. Se io *bevo* (bere) il caffè la sera, poi non dormo.
2. Piero *traduce* (tradurre) dall'inglese e dal francese.
3. Io la sera *esco* (uscire) poco, spesso *rimango* (rimanere) a casa perché sono stanco.
4. Nell'email, Irene e Vincenzo *dicono* (dire) che *stanno* (stare) bene e salutano tutti.
5. L'insegnante *dà* (dare) gli esercizi per casa.
6. Eleonora *va* (andare) a un corso di tango ogni venerdì sera.
7. Luisa, perché non *spegni* (spegnere) il computer?
8. Cosa *facciamo* (fare, noi) stasera? Pizza o cinema?

6 Trasforma le frasi come nell'esempio. Vedi anche l'Approfondimento grammaticale a pag. 196 del Libro dello studente.

Il sabato sera vado spesso a teatro.
Tu *il sabato sera vai a teatro* ?

1. Sabina dà l'indirizzo email a Robert.
Sabina e Carla *danno l'indirizzo email a Robert* .

2. Ogni sabato faccio sport.
Mario *ogni sabato fa sport* .

3. A colazione bevo il caffè.
A colazione voi *bevete il caffè* ?

4. Domani gioco a calcio con gli amici.
Domani noi *giochiamo a calcio con gli amici* .

5. Silvia spegne sempre il telefono quando lavora.
Noi *spegniamo sempre il telefono quando lavoriamo* .

6. Alessia, vieni con noi a ballare?
Ragazzi, *venite con noi a ballare* ?

7. Quando Luigi va al cinema, sceglie film italiani.
Quando io *vado al cinema, scelgo film italiani* .

8. Lucia e Dario escono in Vespa.
Ragazze, *uscite in Vespa* ?

7 Scegli l'alternativa corretta.

1. • Ho due biglietti per il concerto di Malika Ayane. Vuoi venire?
   • Certo! Vengo <u>volentieri</u>/andiamo/no, grazie!

2. • Cosa fai stasera, Piero? Esci con noi?
   • Stasera, mi dispiace/<u>non posso</u>/sì, grazie, voglio studiare.

3. • Perché non andiamo a mangiare una pizza?
   • No, grazie!/Non posso venire./<u>Perché no?</u> Prima però devo telefonare a casa.

4. • Questo fine settimana Paola e Francesca vanno al mare. Perché non/D'accordo/<u>Che ne dici di</u> andare con loro?
   • Sì, buona idea!

5. • Domani noi andiamo a mangiare da zia Mariella, vieni con noi?
   • Ho già un impegno/<u>Mi dispiace</u>/Perché no, purtroppo domani ho un esame, davvero non posso!

6. • Ragazzi, sabato vogliamo andare alla Scala?
   • <u>Magari la prossima volta</u>/Perché no/D'accordo: venerdì partiamo per Perugia.

Malika Ayane

8 Trasforma le frasi dal singolare al plurale (*io → noi, tu → voi, lui / lei → loro*) e viceversa.

1. Io voglio visitare Firenze.

   Noi ...*vogliamo visitare*... Firenze.

2. Volete uscire con noi stasera?

   ...*Vuoi uscire*... con noi stasera?

3. Alba e Chiara non possono restare oggi.

   Sergio non ...*può restare*... oggi.

4. Giulia vuole suonare in un gruppo musicale.

   Tutti ...*vogliono suonare*... il pianoforte.

5. Ragazzi, dovete andare perché il treno parte.

   Luigi, ...*devi andare*..., è tardi!

6. Se viene anche Bruno, possiamo fare una partita a carte!

   Se viene anche Bruno, loro ...*possono fare*... una partita a carte!

7. Devo portare Marco all'aeroporto e non posso andare al corso di tango!

   ...*Dobbiamo portare*... Marco all'aeroporto e non ...*possiamo andare*... al corso di tango!

Ponte Vecchio, Firenze

9 Completa gli spazi blu con i verbi *dovere, potere, volere* e gli spazi rossi con le espressioni date.

che ne dici di ◆ d'accordo ◆ ottima idea ◆ perché no ◆ purtroppo

- Ciao, Laura, ...*che ne dici di*... (1) andare alla mostra su Leonardo da Vinci sabato?
- ...*Purtroppo*... (2) sabato non ...*posso*... (3), ...*voglio*... (4) vedere Piero.
- È una mostra molto interessante... Perché non chiedi a Piero se ...*vuole*... (5) venire anche lui? Se preferite, ...*possiamo*... (6) andare domenica: io sono libera tutto il fine settimana...
- ...*Perché no*... (7)? È un' ...*ottima idea*... (8)! Allora, a domenica.
- ...*D'accordo*... (9), ci vediamo domenica! Ciao.

10 Scrivi i numeri in lettere, come nell'esempio.

312 — *trecentododici*

a. *259* — *duecentocinquantanove*

b. *1.492* — *millequattrocentonovantadue*

c. *673* — *seicentosettantatré*

d. *1.988* — *millenovecentottantotto*

e. *467* — *quattrocentosessantasette*

f. *8°* — *ottavo*

g. *871* — *ottocentosettantuno*

h. *10°* — *decimo*

i. *14°* — *quattordicesimo*

11 a Completa il messaggio con le espressioni date a destra, come nell'esempio in blu.

← Nicola

Ezio! Ciao! Eh no, non sono __in vacanza__ (1)! Purtroppo devo finire un lavoro e sono ancora __in ufficio__ (2). Aspetto il mio amico Bruno: arriva domani sera e rimane __da me__ (3) per qualche giorno, poi partiamo insieme per le vacanze. Quest'anno non vado all'estero, rimango __in Italia__ (4): voglio andare __a Roma__ (5). Partiamo __da Bari__ (6) sabato mattina presto, __in aereo__ (7). E tu? Dove sei? Quando torni?

11:14

du me
a Roma
da Bari
in Italia
in aereo
in ufficio
in vacanza

b Completa con le preposizioni.

Carla abita __a__ (1) Roma, __in__ (2) un piccolo appartamento: cucina, bagno e camera da letto. È contenta perché è __in__ (3) centro, vicino all'università, ed è molto fortunata perché paga poco d'affitto. Carla lavora part-time __in__ (4) un ufficio, quattro ore ogni mattina. La sera, anche quando è molto stanca, ha sempre voglia di uscire, di andare __al__ (5) bar o __da__ (6) Michela, la sua vicina di casa. Spesso lei, Michela, Cinzia e Gabriella vanno __a__ (7) teatro o __al__ (8) cinema.

12 Completa con le parole date: i verbi negli spazi blu e le preposizioni negli spazi rossi.

vuole ♦ fa ♦ va
mangia ♦ rimane

a ♦ a
al ♦ al
da ♦ in ♦ in

Piero è uno studente, abita __a__ (1) Napoli dove studia Lettere. Tutti i giorni, dopo la lezione, va __in__ (2) biblioteca e __rimane__ (3) lì tutta la mattina. Alle 12 __mangia__ (4) un panino __al__ (5) bar dell'università e poi torna a studiare perché __vuole__ (6) finire presto l'università per andare __a__ (7) fare un Master negli Stati Uniti. Piero ama molto il cinema: la sera __va__ (8) spesso __da__ (9) Antonio, un suo amico, a vedere un film. Il fine settimana, qualche volta, __fa__ (10) una gita __al__ (11) mare o __in__ (12) montagna.

13 Completa le domande con le espressioni date.

Giochi

d'affitto ♦ al sesto piano ♦ in aereo ♦ in centro ♦ in vacanza ♦ in ufficio

1. ● Dove andate __in vacanza__ quest'anno?
   ● Quest'anno andiamo in montagna.

2. ● Dove abiti? Abiti __in centro__?
   ● No, abito in periferia.

3. ● Appartamento __al sesto piano__ senza ascensore?! Comodo!
   ● Beh... Non devi andare in palestra!

4. ● Quanto paghi __d'affitto__?
   ● Pago 500 euro.

5. ● Vai __in ufficio__ a piedi?
   ● No, prendo l'autobus, per non fare tardi.

6. ● Parti __in aereo__ per Venezia?
   ● No, preferisco prendere il treno.

14 Risolvi il cruciverba.

Orizzontali

2. Il giorno dopo il mercoledì.
5. Ha sette giorni.
7. Il contrario di *sera*.
8. Il giorno prima della domenica.
9. Il giorno prima di mercoledì.
10. Il giorno dopo il fine settimana.

Verticali

1. Il settimo giorno della settimana.
3. Il quinto giorno della settimana.
4. Il giorno dopo oggi.
6. Il giorno dopo il martedì.

15 Che ore sono? Completa le frasi come negli esempi.

Sono le quattro e quarantotto.
Sono le *cinque* meno dodici.

Sono le dodici e *venticinque*.
È *mezzogiorno* e venticinque.

Sono le *cinque* e quaranta.
Sono le sei *meno* venti.

È l'una e trentacinque.
Sono le *tredici* e trentacinque.

Sono *le* otto e venti.
Sono le *venti* e venti.

Sono le sette e *quarantacinque*.
Sono le otto meno un *quarto*.

16 Scegli l'alternativa corretta. Prima vedi pagina 40 del Libro dello studente.

Per visitare Milano puoi usare i mezzi/la metropolitana (1) pubblici. Ci sono più di 100 linee di autobus e tram e quattro di metropolitana/stazioni (2). Puoi comprare i biglietti/l'affitto (3) al bar, in discoteca /tabaccheria (4), all'edicola, o nelle stazioni/corse (5) della metropolitana alle gite/macchinette (6) automatiche.

A Completa con il presente indicativo dei verbi.

Alessandro lavora in centro. Ogni giorno ...._va_........ (1. andare) al lavoro a piedi, qualche volta ...._prende_....... (2. prendere) l'autobus. Di solito ...._esce_........ (3. uscire) di casa alle 8, ..._vede_....... (4. vedere) Davide, un suo collega, in Piazza Mazzini e ...._fanno_...... (5. fare) colazione insieme prima di andare in ufficio. Oggi Alessandro e Davide, quando ...._finiscono_....... (6. finire) di lavorare, ..._vogliono_...... (7. volere) andare allo stadio, perché ...._gioca_....... (8. giocare) la Juventus. Non ...._sanno_....... (9. sapere) ancora se ...._vanno_....... (10. andare) da soli o con Licia e Gabriella.

B Scegli l'alternativa corretta.

1. Enzo, ..._c_.. (1) spesso a calcio? Un giorno ..._a_.. (2) giocare con noi?
   (1) a. giochiamo   (2) a. vuoi
        b. gioco   b. deve
        c. giochi   c. sai

2. Se Giorgio non ..._a_.. (1) con noi, ..._a_.. (2) andare con una macchina.
   (1) a. viene   (2) a. possiamo
        b. vieni   b. vogliamo
        c. vengo   c. sappiamo

3. • Cara, stasera ..._b_.. (1) al cinema?
   • ..._b_.. (2) Che film vuoi vedere?
   (1) a. vogliamo   (2) a. Vuoi venire?
        b. andiamo   b. Volentieri!
        c. vediamo   c. D'accordo?

4. L'appartamento di Roberto è grande: ha tre ..._c_.. (1), due bagni, la cucina, il soggiorno e un grande ..._b_.. (2) dove suona il pianoforte.
   (1) a. camere con letto   (2) a. balcone
        b. camere di letto   b. studio
        c. camere da letto   c. ripostiglio

5. Il mio ufficio è al (4°) ..._c_.. (1) piano, l'ufficio del direttore è al (18°) ..._a_.. (2).
   (1) a. terzo   (2) a. diciottesimo
        b. quinto   b. diciassettesimo
        c. quarto   c. sedicesimo

6. Quando vado ..._b_.. (1) mia madre in centro, preferisco andare ..._b_.. (2) autobus.
   (1) a. in   (2) a. di
        b. da   b. in
        c. a   c. con

7. Sono le (11:15) ..*b*.. (1) ed è ..*c*.. (2), domani è venerdì.

    (1)   a. undici quindici   (2)   a. lunedì

           b. undici e un quarto   b. martedì

           c. undici e quarto   c. giovedì

8. Sono le (8:35) ..*a*.. (1) e Giuseppe è pronto per andare ..*b*.. (2) ufficio.

    (1)   a. otto e trentacinque   (2)   a. da

           b. nove meno trentacinque   b. in

           c. venticinque alle nove   c. al

C Risolvi il cruciverba.

Orizzontali

2. La stanza della casa dove prepariamo la cena.
6. Lo sport più famoso in Italia e non solo.
8. Dire di sì a un invito.
7. Una casa alta ha molti...
9. Cosa dico per salutare quando entro in un bar la mattina?

Verticali

1. Per entrare al cinema, a teatro, al museo o per prendere l'autobus o la metro devo avere il...
3. Ha sette giorni.
4. Il dialogo con un giornalista.
5. La stanza della casa dove facciamo la doccia.

Risposte giuste: .... / 35

Giochi

26

*Tutti gli esercizi sono disponibili
in formato interattivo su www.i-d-e-e.it*

1° test di ricapitolazione

Quaderno degli esercizi

A Completa con l'articolo determinativo.

1. _la_ finestra
2. _i_ libri
3. _il_ bicchiere
4. _l'_ amico
5. _la_ città
6. _i_ pesci
7. _l'/gli_ autobus
8. _la_ lezione
9. _gli_ occhi
10. _l'_ albero
11. _il_ giornale
12. _la_ pagina

........../12

B Trasforma al plurale.

1. la casa grande _le case grandi_
2. la macchina nuova _le macchine nuove_
3. il problema lungo _i problemi lunghi_
4. il libro francese _i libri francesi_
5. il mare azzurro _i mari azzurri_
6. la valigia verde _le valigie verdi_
7. la turista simpatica _le turiste simpatiche_
8. il film interessante _i film interessanti_

........../8

C Completa con i verbi.

*viviamo ♦ compro ♦ apre ♦ arriviamo ♦ vanno ♦ torna
arriva ♦ parliamo ♦ finisce ♦ leggono ♦ ha ♦ mangi*

1. Stefania e Luca _vanno_ spesso a ballare.
2. Francesco _ha_ una bella casa in centro.
3. Noi _viviamo_ a Perugia da due anni e _parliamo_ bene l'italiano.
4. L'edicola _apre_ alle 6 e io _compro_ il giornale prima di andare in ufficio.
5. Giorgio _finisce_ di lavorare alle 5 e _torna_ a casa a piedi.
6. Mauro e Gianni tutte le mattine _leggono_ il giornale.
7. Carmen _arriva_ sempre tardi agli appuntamenti. Noi _arriviamo_ sempre in orario.
8. Perché tu _mangi_ così pochi spaghetti?

........../12

D Completa con l'articolo indeterminativo.

1. _una_ notte
2. _un_ problema
3. _uno_ zaino
4. _un_ espresso
5. _una_ mano
6. _un'_ unità
7. _una_ gonna
8. _una_ studentessa
9. _una_ famiglia
10. _un_ gelato
11. _un'_ opera
12. _un_ appartamento

........../12

E Leggi il testo e scegli l'alternativa corretta.

Sono le otto: Carlo prende un caffè a casa e dopo va all'università. Alle nove ha lezione di storia e alle dodici lezione d'inglese. All'una e trenta va a mangiare con i compagni. Alle due e mezzo finiscono di mangiare, vanno al bar e prendono un caffè. Sono le quattro: inizia la lezione di storia dell'arte! Carlo saluta gli amici e torna all'università per la lezione. La lezione finisce alle sei e Carlo è libero: prende l'autobus e alle sette è a casa. Alle otto mangia con la famiglia, poi legge un libro. Alle undici e mezza va a letto.

1. Alle nove Carlo
   a. è all'università *(selezionata)*
   b. è ancora a casa sua
   c. prende un caffè al bar

2. A mezzogiorno Carlo
   a. ha lezione di storia
   b. va a mangiare
   c. ha lezione d'inglese *(selezionata)*

3. All'una e mezzo Carlo
   a. mangia con i suoi amici *(selezionata)*
   b. finisce di mangiare
   c. beve un caffè

4. Alle sei Carlo
   a. è libero *(selezionata)*
   b. ha ancora una lezione
   c. torna all'università

5. Alle sette Carlo
   a. torna a casa *(selezionata)*
   b. saluta gli amici
   c. va al bar

6. Alle otto Carlo
   a. va a letto
   b. mangia con la famiglia *(selezionata)*
   c. esce con gli amici

.... /6

F Completa con il presente indicativo dei verbi tra parentesi.

1. Noi non *sappiamo* (sapere) se Luisa *arriva* (arrivare) domani.
2. Io non *posso* (potere) restare, *devo* (dovere) tornare a casa.
3. Io non *so* (sapere) usare bene il computer.
4. Noi *dobbiamo* (dovere) partire domani mattina presto.
5. Lui la mattina non *beve* (bere) il caffè.
6. Dino *va* (andare) al mare questo fine settimana.
7. Io *spedisco* (spedire) una mail a un amico.
8. Signora, *vuole* (volere) venire a Napoli con noi sabato?

.... /10

Risposte giuste: .... /60

In contatto

Unità 3

1 a Abbina le parole alle immagini.

  a ⟨3⟩

  b ⟨5⟩

  c ⟨4⟩

  d ⟨1⟩

  e ⟨2⟩

  f ⟨6⟩

1. La lettera	4. I libri
2. Il computer	5. I fiori
3. Il gatto	6. Le chiavi

b Dove sono? Guarda le immagini e scrivi le risposte, come nell'esempio in blu.

1. La lettera *è nella busta*.
2. Il computer *è sul tavolo*.
3. Il gatto *è nel cassetto*.

4. I libri *sono nella libreria*.
5. I fiori *sono sul balcone*.
6. Le chiavi *sono nella borsa*.

2 a Completa con le preposizioni date.

con il ◆ a ◆ ai ◆ per ◆ in

Bar Vaticano

Finalmente siamo *a* (1) Roma! Dopo un lungo giro *in* (2) città, arriviamo in un bar vicino *ai* (3) Musei Vaticani. Il bar è piccolo, perfetto *per* (4) un pranzo veloce! Infatti, mangiamo due buonissimi panini *con il* (5) prosciutto e beviamo un buon caffè. Ottimo!

★★★★

b Completa con le preposizioni date, come nell'esempio.

del ◆ nel ◆ sui ◆ alle ◆ dall'
sul ◆ della ◆ dalla ◆ nelle

La via *del* (1) caffè

Cercate un'ora di relax poco lontano da Piazza *della* (2) Repubblica? Potete provare questo locale! Ci sono più di 20 tipi di caffè: vengono *dalla* (3) Colombia, *dall'* (4) Ecuador, dal Brasile... da tutto il mondo!

Nel (5) bar non ci sono solo caffè, ma anche libri! *Nelle* (6) librerie, *sui* (7) tavoli, vicino *alle* (8) finestre, trovate libri sul caffè in tutte le lingue! Un posto davvero speciale!

★★★★

3 Completa le frasi con le preposizioni articolate *da* o *di*.

Amalfi

1. _Dal_ balcone di casa vedo il mare!
2. Passiamo la sera _dai_ signori Baraldi.
3. Pierre ha un nome francese, ma viene _dall'_ Olanda.
4. Lui è il fratello _della_ mia ragazza.
5. Dov'è la casa _dei_ fratelli di Antonia?
6. Domani pomeriggio devo andare _dal_ dottore.
7. Questo è il libro _dello_ studente e questo il quaderno _degli_ esercizi.
8. Puoi telefonare a Piero stasera: è a casa _dalle_ otto alle dieci.

4 Completa con le preposizioni semplici e articolate.

1. La posta è vicino _alla_ fermata _dell'_ autobus.
2. Quanti giorni restate _in_ città?
3. Domenica parto _per la_ Francia.
4. Vado a casa una volta _al_ mese.
5. Siamo tutti _al_ bar _per_ guardare la partita alla tv.
6. Le chiavi di casa sono _nella_ mia borsa.
7. Giorgia arriva _in/all'_ aeroporto _alle_ 20.
8. Casa mia è vicino _all'_ università.

5 Osserva le immagini e forma cinque frasi come nell'esempio. Vedi anche l'Approfondimento grammaticale a pag. 198 del Libro dello studente.

regalo ◆ Roberto	a ◆ con gli	Marcella
io ◆ Milano	nell' ◆ della	professoressa
borsa ◆ treno	tra ◆ per ◆ sul	Italia del Nord
		amici ◆ casa
		venti minuti

Io sono a casa.

1. *Roberto è con gli amici.* (essere)
2. *Milano è nell'Italia del Nord.* (essere)
3. *Il treno parte tra venti minuti.* (partire)
4. *La borsa è della professoressa.* (essere)
5. *Il regalo è per Marcella.* (essere)

6 Completa le frasi con le preposizioni semplici e articolate, come nell'esempio.

1. Aspetto Maria *in* ufficio. → Aspetto Maria *nell'* ufficio del direttore.
2. Vado *in* Argentina. → Vado *nell'* Argentina del Sud.
3. Giulia lavora *in* banca. → Marco lavora *alla* Banca del Lavoro.
4. Telefono *a* Rita. → Telefono *alla* mia collega.
5. Parliamo *di* sport. → Parliamo *dello* sport più famoso in Italia.
6. Vado a Milano *in* treno. → Vado a Milano *con il* treno delle 6.
7. Questa sera andiamo *a* teatro. → Questa sera andiamo *al* teatro Ariston.
8. Sono *in* biblioteca. → Sono *alla/nella* biblioteca dell'università.

7 Scegli l'alternativa corretta.

1. Vado in vacanza <u>in</u>/per Colombia.
2. Ogni anno vado al mare per l'/<u>nell'</u>Italia del Sud.
3. Venite anche voi in/<u>a</u> casa di Domenico?
4. Questo fine settimana parto <u>per</u>/a Torino.
5. Marco domani torna ai/<u>dagli</u> Stati Uniti.
6. I miei amici lavorano a/<u>in</u> banca.
7. Stasera andiamo tutti a/<u>da</u> Giulio? È il suo compleanno!
8. La lezione di italiano è <u>dalle</u>/nelle 10 alle 12.

8 Completa il testo: scrivi le parole date negli spazi rossi e le preposizioni semplici o articolate negli spazi verdi.

cellulari ◆ tempo ◆ telefonata ◆ email ◆ lontani ◆ videochiamata

Avete amici *lontani* (1)? Per fortuna ci sono *cellulari* (2) e social network! Rimanere *in* (3) contatto, raccontare la propria giornata, chiedere un parere... è tutto possibile *con* (4) i messaggi, le chat e le *email* (5).

Ma è davvero la stessa cosa? Perché qualche volta non proviamo il "vecchio" metodo? No, non parliamo *delle* (6) lettere o dei pacchi postali, ma *di* (7) una semplice *telefonata* (8)!

Quando è importante telefonare? Beh, prima di tutto quando è passato molto *tempo* (9) dall'ultima volta: non possiamo scrivere un semplice "Ciao, come va?" *a* (10) una persona che non sentiamo *da* (11) mesi! Poi, dobbiamo telefonare quando l'amico non sta bene: in questi momenti una telefonata può cambiare tutto. E se non potete usare la vecchia tecnologia... Beh, potete fare una *videochiamata* (12)!

adattato da *www.elle.it*

9 Trasforma le frasi con il partitivo, come nell'esempio.

Compro un regalo a Gianni. → *Compriamo dei regali a Gianni.*

1. Ho un amico australiano. → Noi *abbiamo degli amici australiani*
2. Spedisco un'email. → Le dottoresse *spediscono delle email*
3. Esce spesso con una ragazza italiana. → Noi *usciamo spesso con delle ragazze italiane*
4. Viene a cena una persona importante. → Vengono *a cena delle persone importanti*
5. Luca è un bravo ragazzo. → Luca e Paolo sono *dei bravi ragazzi*

10 Guarda le immagini e rispondi alle domande.

1. A che ora chiude il negozio di borse Loly la mattina?
   Chiude alle 13/All'una
2. A che ora chiude il Parco Ciani a febbraio?
   Alle 21/Alle 9
3. Il sabato, qual è l'orario di apertura dell'ufficio postale?
   Apre alle 8.20 e chiude alle 12.35
4. A che ora chiude la banca il pomeriggio?
   Alle 15.50
5. A che ora apre la biblioteca il mercoledì?
   Alle 9 di mattina
6. Qual è l'orario di apertura del museo nel pomeriggio?
   Apre alle 14.30 e chiude alle 17.30

11 Completa le frasi con l'ora, come nell'esempio. Attenzione alla preposizione!

1. Sono alla stazione. Sono le otto e trentanove e il treno parte fra 16 minuti.
   Il treno parte *alle nove meno cinque/alle otto e cinquantacinque*
2. Sono le tre. Il treno arriva fra un'ora e mezzo.
   Il treno arriva *alle quattro e trenta/mezza/mezzo*
3. Sono le cinque. Aspetto Maria da un'ora.
   Aspetto Maria *dalle quattro*
4. Mariella guarda l'orologio. È l'una: fra 45 minuti finisce di lavorare.
   Mariella finisce di lavorare *all'una e quarantacinque/alle due meno un quarto*

5. Sono le dieci. Devo vedere il professore fra 90 minuti.

   Devo vedere il professore *alle undici e trenta/alle undici e mezzo*.

6. Sono le sei. Carlo ha appuntamento con Anna fra un'ora.

   Carlo ha appuntamento con Anna *alle sette*.

7. Sono le otto. Ho una lezione all'università fra un'ora e 15 minuti.

   Ho una lezione all'università *alle nove e quindici/alle nove e un quarto*.

12 Completa con le parole e le espressioni date.

magari ♦ non so ♦ non sono sicuro ♦ penso ♦ probabilmente

• Allora, Francesco, vieni con noi al cinema o no?

• Mah... *non so* (1) cosa fare: sono un po' stanco e devo studiare... che film andate a vedere? Com'è? È bello?

• *Penso* (2) di sì: Piero dice che è molto interessante. Allora? Vieni?

• Mmh... A che ora inizia il film?

• *Non sono sicuro* (3), alle sette... beh, non più tardi delle otto.

• Sì, ma dopo il film... di solito voi uscite a cena e fate tardi!

• *Probabilmente* (4) sì, ma se vuoi, tu puoi prendere la mia macchina e tornare a casa.

• No, dai, *magari* (5) un'altra volta: ho l'esame tra una settimana e devo studiare!

Giochi

13 Metti in ordine le parole per formare le frasi. Comincia con la parola blu.

1. il | sotto | è | gatto | il | letto di | Luca
   Il gatto è sotto il letto di Luca.

2. è | la | dell' | autobus | del | fermata | a | destra | supermercato
   La fermata dell'autobus è a destra del supermercato.

3. di Marcello | casa | è | la | all' | accanto | ufficio postale
   La casa di Marcello è accanto all'ufficio postale.

4. abbiamo | ed io | Marisa | dentro | appuntamento | la | stazione
   Marisa ed io abbiamo appuntamento dentro la stazione.

5. panificio | è | ufficio | Mirca | di | davanti | il | all'
   Il panificio è davanti all'ufficio di Mirca.

6. computer di | sopra | c'è | la | scrivania | il | Dario
   Sopra la scrivania c'è il computer di Dario.

14 Guarda l'immagine e completa la descrizione con le preposizioni e le espressioni date.

sopra ✦ *sul* ✦ *sui* ✦ *sotto* ✦ *tra* ✦ *davanti* ✦ *vicino* ✦ *a destra*

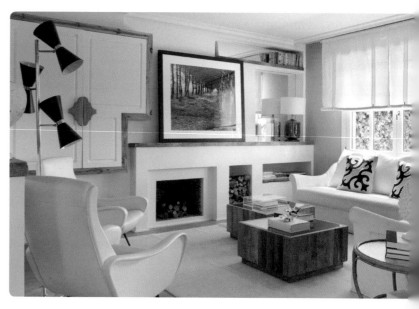

Il soggiorno di Grazia è molto luminoso perché ha una finestra molto grande e il divano e le poltrone sono bianchi. Il divano è ___*davanti*___ (1) alla finestra e ci sono due tavolini ___*tra*___ (2) le poltrone e il divano. ___*Vicino*___ (3) alle poltrone c'è una lampada nera moderna. ___*Sotto*___ (4) i tavolini c'è un grande tappeto. ___*Sul*___ (5) divano ci sono dei cuscini e ___*sui*___ (6) tavolini ci sono dei libri. C'è anche un camino. ___*Sopra*___ (7) il camino c'è una grande fotografia; ___*a destra*___ (8) della fotografia ci sono una lampada e uno specchio.

15 Completa con *c'è* o *ci sono*.

Luciano Ligabue

1. Se __*ci sono*__ ancora biglietti per il concerto di Ligabue, vengo anch'io!
2. Oggi __*c'è*__ molto traffico in centro.
3. Nella mia classe __*ci sono*__ molti studenti stranieri.
4. Questa città mi piace: __*c'è*__ la metro e __*ci sono*__ molti autobus!
5. In Sicilia __*ci sono*__ delle isole molto belle.
6. Vieni da noi stasera a guardare la TV? __*C'è*__ un film molto bello su Rai 2.
7. Se vuoi partire stasera per Trieste, __*c'è*__ un treno alle nove.
8. In ufficio __*c'è*__ una ragazza molto simpatica, si chiama Veronica.

16 Completa le frasi con i possessivi.

1. Maria, la __*tua*__ casa è molto grande. Quanto paghi d'affitto?
2. Marco e il __*suo*__ professore partono per Milano.
3. • Sai dov'è il mio quaderno?
   • Sì, il __*tuo*__ quaderno è qui.
4. • Di chi è questa borsa?
   • È di Michela, è la __*sua*__ borsa.
5. Cerco la penna. Dov'è la __*mia*__ penna?
6. Ho un piccolo gatto. Il __*mio*__ gatto si chiama Gigi.

17 Completa i dialoghi: ringrazia o rispondi a un ringraziamento.

In centro
- Scusi, sa dov'è via del Fossato?
- Sì, è la terza strada a destra.
- *Grazie!*
- Di niente!

In biblioteca
- Ecco, questo è il libro per l'esame.
- *Grazie mille!*
- Figurati!

Al parco
- Mamma, possiamo avere la pizza?
- Certo!
- *Grazie!*
- *Di niente!*

18 Rispondi alle domande, come nell'esempio in blu.

In quale stagione è il mese di gennaio?
In inverno

1. In quale stagione è il mese di aprile?
In primavera

2. In quale stagione andiamo al mare?
In estate

3. In quale stagione ci sono molti fiori?
In primavera

4. In quale stagione è il mese di ottobre?
In autunno

5. In quale stagione è il tuo complanno?

19 Completa i messaggi della chat con le preposizioni semplici o articolate.

Matteo

Matteo, *tra* (1) un mese vengo a Milano! Sei in città?

Davvero? Vieni *per* (2) lavoro?

Sì, c'è un seminario *sulla* (3) storia dell'Europa. Parto *con* (4) Lia, una mia collega, e *con il* (5) nostro professore. Le lezioni sono *dal* (6) mercoledì al venerdì, ma *nel* (7) fine settimana sono libero.

Interessante! Quando arrivi? E le lezioni sono in centro?

L'ultima settimana *di* (8) novembre. Non so ancora se le lezioni sono *alla* (9) biblioteca *dell'* (10) Università Statale o se sono *in* (11) una scuola *del* (12) centro.

Noooo! A fine novembre vado *da/con* (13) Monica in Sardegna! Mi dispiace!

20 Scrivi i numeri in lettere.

1. A Venezia ci sono _quattrocentotrentacinque_ (435) ponti.
2. Milano ha _un milione trecentocinquantamila_ (1.350.000) abitanti.
3. Il Monte Bianco è alto _quattromilaottocentodieci_ (4.810) metri.
4. Ogni giorno, più di _ventunmila_ (21.000) persone visitano il Colosseo.
5. In tutto il mondo spediamo circa _centocinquantasei milioni_ (156.000.000) di email al minuto.
6. Ogni giorno nel mondo facciamo circa _trecentoquaranta milioni_ (340.000.000) di minuti di videochiamate.

21 Ascolta il dialogo e completa l'elenco con i monumenti e le città mancanti.

Monumento	Città
1. La Fontana di Trevi	Roma
2. La torre pendente	Pisa
3. La Galleria degli Uffizi	Firenze
4. Il Maschio Angioino	Napoli
5. Trinità dei Monti	Roma
6. Il Ponte Vecchio	Firenze
7. Il Castello Sforzesco	Milano
8. Foro Romano	Roma
9. Il Campanile di Giotto	Firenze
10. San Marco	Venezia

A Inserisci la preposizione (semplice o articolata) corretta.

Gabriella lavora ......*in*...... (1) un negozio di borse ......*in*...... (2) centro a Milano. Per essere ......*al*...... (3) lavoro ......*alle*...... (4) nove deve uscire di casa ......*alle*...... (5) sette e mezzo. ......*Con*...... (6) la macchina va fino ......*alla*...... (7) stazione ......*della*...... (8) metropolitana più vicina ......*a*...... (9) casa e prende la linea 2. Di solito scende ......*a/in*...... (10) Piazza Duomo e sale ......*sul*...... (11) tram 19. Qualche volta non prende il tram e va al negozio ......*a*...... (12) piedi.

B Scegli l'alternativa corretta.

1. Signora Viuzzi, ...*c*... (1) cosa parla ...*b*... (2) suo ultimo libro?
   (1)   a. per   (2)   a. dal
         b. con   b. nel
         c. di   c. per il

2. Studio cinese ...*c*... (1) cinque anni e finalmente tra un mese parto ...*a*... (2) Cina!
   (1)   a. con   (2)   a. per la
         b. per   b. in
         c. da   c. dalla

3. Questa lettera è ...*b*... (1) professore di francese. Puoi spedire la lettera ...*a*... (2) ufficio postale?
   (1)   a. al   (2)   a. dall'
         b. per il   b. dello
         c. dal   c. dell'

4. • Scusi, signora, c'è una farmacia qui vicino?
   • Qui a destra, ...*a*... (1) alla banca.
   • ...*c*... (2)
   • Di niente.
   (1)   a. accanto   (2)   a. Ti ringrazio!
         b. dentro   b. Figurati!
         c. intorno   c. Grazie mille!

5. Vado ...*b*... (1) supermercato a comprare ...*c*... (2) latte. Vieni con me?
   (1)   a. per il   (2)   a. dei
         b. al   b. dello
         c. dal   c. del

6. L'Italia ha (60.000.000) ...*c*... (1) di abitanti, di questi circa (5.000.000) ...*b*... (2) sono stranieri.
   (1)   a. settanta milioni (2)   a. cinquecentomila
         b. seicento milioni   b. cinque milioni
         c. sessanta milioni   c. cinquemila

7. Nella mia città ..a.. (1) un teatro e ..a.. (2) due grandi cinema.

(1) a. c'è
     b. è
     c. ci sono

(2) a. ci sono
     b. stanno
     c. sono

8. Nella mia camera ..c.. (1) letto c'è l'armadio e ..a.. (2) finestra c'è la scrivania.

(1) a. tra il
     b. intorno
     c. a destra del

(2) a. vicino alla
     b. a sinistra
     c. dentro la

9. • Dov'è il il mio libro?

   • Probabilmente è ..b.. (1) libri che sono ..b.. (2) tua scrivania!

(1) a. davanti agli
     b. tra i
     c. dentro gli

(2) a. accanto
     b. sulla
     c. tra

C Risolvi il cruciverba.

Risposte giuste: .... /40

Buon fine settimana!

Unità 4

Quaderno degli esercizi

1 Completa con il participio passato dei verbi.

1. In questi giorni ho ....*visitato*........ (visitare) tutti i musei della città.
2. Anna ha ....*spedito*........ (spedire) un'email ieri mattina.
3. I ragazzi hanno ....*sentito*........ (sentire) la notizia alla radio.
4. Domenica abbiamo ....*dormito*........ (dormire) tutto il giorno!
5. Avete ....*saputo*........ (sapere) che l'esame è la settimana prossima?
6. Chi ha ....*mangiato*........ (mangiare) il dolce?
7. Ho ....*avuto*........ (avere) un'idea: andiamo al mare questo fine settimana?
8. Ho ....*ballato*........ (ballare) con Vincenzo tutta la sera!

2 Completa con il passato prossimo dei verbi dati.

capire ♦ comprare ♦ finire ♦ sentire ♦ portare ♦ viaggiare ♦ vendere ♦ volere

1. Luisa, da quanti anni ....*hai finito*........ l'università?
2. Ragazzi, ...*avete sentito*........? Maria parte per l'Erasmus!
3. Io non ....*ho capito*........ perché non vuoi venire a teatro.
4. Mamma, ...*hai comprato*........ il latte ieri?
5. Fabrizio e Nicola ....*hanno viaggiato*........ molto.
6. Per il suo compleanno, Mario non ....*ha voluto*........ regali.
7. ....*Abbiamo venduto*........ la macchina e adesso usiamo i mezzi pubblici.
8. Alla festa di Emilio, Luisa e io ....*abbiamo portato*........ una torta molto buona.

3 Completa con il participio passato dei verbi e fai l'abbinamento per completare le frasi.

1. L'estate scorsa Eva e Lisa sono ....*partite*........ (partire) (f)
2. Piero è ....*uscito*........ (uscire) alle (c)
3. L'altro ieri Paola è ....*andata*........ (andare) in (d)
4. Aldo e Luca sono ....*tornati*........ (tornare) tre giorni fa (e)
5. Siamo ....*stati/e*........ (stare) tutta la sera (g)
6. Vincenzo è ....*entrato*........ (entrare) in classe (b)
7. Laura, sei ....*salita*........ (salire) sul (a)
8. Le ragazze sono ....*arrivate*........ (arrivare) con (h)

a. tram senza biglietto?
b. con 15 minuti di ritardo.
c. sei di mattina.
d. piscina.
e. da Parigi.
f. per il Marocco.
g. a casa a leggere.
h. il treno delle otto.

4 Chi è stato? Fai l'abbinamento, come nell'esempio.

1. Sabato scorso siamo andati in montagna. *(f)*
2. Sono restato tutto il giorno a casa. *(a)*
3. È arrivata con la posta di ieri. *(e)*
4. È andato ad aprire la porta. *(c)*
5. Siete usciti con Piero ieri sera? *(g)*
6. Sei stato al mare domenica? *(b)*
7. È tornata subito a casa per prendere il cellulare. *(d)*
8. Sono partite molto tardi. *(h)*

a. io
b. tu
c. Franco
d. tua zia
e. una lettera
f. mio fratello e io
g. tu e Rossana
h. Giovanna e Gina

5 Completa le frasi, come nell'esempio in blu.

partire la settimana scorsa ✦ uscire a fare spese ✦ andare al cinema ✦ arrivare da poco in Italia
studiare molto per l'esame di domani ✦ mangiare un panino ✦ dormire molto ✦ trovare traffico

Simone è tranquillo perché *ha studiato molto per l'esame di domani.*

1. I ragazzi tornano a casa più tardi perché *sono andati al cinema.*
2. Siete stanchi perché non *avete dormito molto.*
3. Sono andato al bar per pranzo e *ho mangiato un panino.*
4. Mustafà non conosce bene la lingua italiana perché *è arrivato da poco in Italia.*
5. I signori Dardano sono in vacanza: *sono partiti la settimana scorsa.*
6. Bruna ha la gonna e gli stivali nuovi: ieri *è uscita a fare spese.*
7. Siamo in ritardo perché *abbiamo trovato traffico.*

6 Completa le frasi con un verbo al passato prossimo, come nell'esempio.

1. Dopo la lezione di pianoforte torno sempre a casa con Massimiliano, ma ieri *sono tornato* a casa in tram.
2. L'autobus passa tutte le mattine alle sette. Ieri mattina, però, *è passato* con quaranta minuti di ritardo.
3. Marta e Giorgio, ogni sabato sera, vanno in discoteca e ballano fino alle 5. Anche sabato scorso, Marta e Giorgio *sono andati* in discoteca e *hanno ballato* fino alle 5.
4. Giulia resta a casa tutto il giorno. Anche ieri Giulia *è restata* a casa tutto il giorno.
5. Oggi comincia il corso di lingua tedesca. Due giorni fa *è cominciato* il corso di lingua giapponese.
6. Michele finisce di lavorare alle 16, io finisco alle 15.45. Di solito aspetto Michele al bar sotto l'ufficio, ma ieri non *ho aspettato* Michele perché lui *ha finito* di lavorare dopo le 17.

7 Scegli l'alternativa corretta.

Questo fine settimana io e Veronica abbiamo fatto una breve vacanza. Sabato siamo partiti per Bologna con il treno delle 17 e siamo arrivati dopo/poi/prima (1) circa 3 ore. Prima di/ Così/Subito (2) andare a mangiare, abbiamo lasciato le valigie in albergo. Più tardi/Alla fine/Dopo (3) cena abbiamo camminato per il centro, abbiamo visto Piazza Maggiore, la Fontana del Nettuno e le Due Torri. Stamattina/Prima/Poi (4) verso l'una siamo andati a dormire. Domenica mattina, per prima cosa/più tardi/prima di (5) abbiamo fatto colazione in albergo e dopo/prima/così (6) siamo andati a visitare il Museo Ducati. Dopo/Poi/Alla fine (7) il museo, abbiamo visitato il Duomo di Bologna, la Chiesa di San Petronio e, verso le 14, abbiamo mangiato in un ottimo ristorante; la sera abbiamo visto uno spettacolo al Teatro Duse... siamo stati così bene che alla fine/dopo/prima (8) non siamo partiti domenica sera, ma lunedì mattina!

8 a Riscrivi le frasi: sostituisci le parti in verde con *ci*, come nell'esempio.

Vado in Italia ogni anno in estate.
Ci vado ogni anno in estate.

1. Vado in palestra tutti i giorni.
Ci vado tutti i giorni.

2. Vivo a Roma da tre anni.
Ci vivo da tre anni.

3. Mangio al ristorante "Da Pino" la domenica con i miei amici.
Ci mangio la domenica con i miei amici.

4. Sono andata tutte le domeniche allo stadio.
Ci sono andata tutte le domeniche.

5. Vado al concerto di Jovanotti con Maria.
Ci vado con Maria.

6. Ho messo nello zaino i panini e il caffè.
Ci ho messo i panini e il caffè.

b Completa le risposte con *ci* e il verbo alla forma corretta.

1. • Siete rimasti molto a Venezia?
   • No, *ci siamo rimasti* solo pochi giorni.

2. • Sei già andato alla mostra di Depero?
   • Sì, *ci sono andato* sabato.

3. • Chi abita nell'appartamento al terzo piano?
   • *Ci abitano* dei ragazzi spagnoli

4. • Cosa hai messo nella borsa?
   • *Ci ho messo* solo alcuni libri.

5. • Perché vivi in centro?
   • *Ci vivo* perché così non devo usare la macchina.

6. • Passate molto tempo in piscina?
   • No, *ci passiamo* solo 2 ore.

7. • Quando sei andata in Svizzera?
   • *Ci sono andata* a febbraio.

9 Trasforma al passato prossimo.

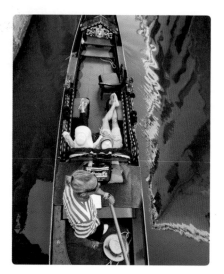

1. I signori Motta vincono un viaggio a Venezia!
   I signori Motta hanno vinto un viaggio a Venezia!

2. Marco legge il giornale in salotto.
   Marco ha letto il giornale in salotto.

3. Prima di uscire chiudo le finestre.
   Prima di uscire ho chiuso le finestre.

4. Mario viene a Torino in giugno.
   Mario è venuto a Torino in giugno.

5. Spendiamo molti soldi in libri.
   Abbiamo speso molti soldi in libri.

6. Suono il pianoforte all'aeroporto di Roma.
   Ho suonato il pianoforte all'aeroporto di Roma.

7. Serena vede tutti i film di Fellini!
   Serena ha visto tutti i film di Fellini!

8. Scrivo una mail a Lia e spengo il computer.
   Ho scritto una mail a Lia e ho spento il computer.

10 Completa l'articolo con il passato prossimo dei verbi.

| SEZIONI ▼ | EDIZIONI LOCALI ▼ | CORRIERE TV | ARCHIVIO | TROVOCASA | TROVOLAVORO | SERVIZI ▼ | CERCA 🔍 | 👤 LOGIN | ABBONATI | C+ PER TE |

CORRIERE DELLA SERA

Meteo: Milano | 7°

Turista sale sulla Fontana di Trevi

ROMA – Un turista, un signore italiano di 40 anni, *ha scelto* (1. scegliere) la Fontana di Trevi per passare il suo tempo libero.

L'uomo *è salito* (2. salire) sulla fontana, *ha fatto* (3. fare) delle telefonate con il cellulare, *ha mangiato* (4. mangiare) un panino e *ha cominciato* (5. cominciare) a leggere un libro...

Un quarto d'ora dopo, verso le 2, *sono arrivati* (6. arrivare) i carabinieri, poi anche i vigili del fuoco, che *hanno chiesto* (7. chiedere) all'uomo di scendere, ma lui *è rimasto* (8. rimanere) sulla fontana ancora due ore e quando, finalmente, *è sceso* (9. scendere), ha detto: «Nessun problema, sono professore di storia dell'arte...».

adattato da *www.corriere.it*

11 Metti in ordine le parole per formare le frasi. Comincia con la parola blu.

1. la | ho | Torino | settimana | visitato | scorsa
   La settimana scorsa ho visitato Torino.

2. mia famiglia | fa | cambiato | io e la | casa | 15 anni | abbiamo
   Io e la mia famiglia abbiamo cambiato casa 15 anni fa.

3. di Genovesi | uscito | nel | scorso | film | novembre | l'ultimo | è
   L'ultimo film di Genovesi è uscito nel novembre scorso ?

4. le | aprono a | giugno | scuole | a | chiudono | settembre e
   Le scuole aprono a settembre e chiudono a giugno.

5. è | gennaio | nel | nato | 1985 | del | Elio | lo zio
   Lo zio Elio è nato nel gennaio del 1985.

6. dicembre | perché | cinema Astra | chiudono il | in
   Perché chiudono il cinema Astra in dicembre ?

7. il caffè "Al Bicerin" | nato | tempo | fa | è | molto | di Torino
   Il caffè "Al Bicerin" di Torino è nato molto tempo fa.

8. di giardinaggio | prossimo | mese | il | faccio | lezioni | delle
   Il mese prossimo/prossimo mese faccio delle lezioni di giardinaggio.

12 Scegli l'alternativa corretta.

1. Per me la matematica è appena/<u>sempre</u>/mai stata difficile.

2. Non ho sempre/poi/<u>mai</u> visto un film così bello!

3. Il mese non è <u>ancora</u>/già/anche finito e noi abbiamo ancora/<u>già</u>/dopo speso tutti i soldi!

4. È partito e da quel momento non ha <u>più</u>/già/fa scritto o telefonato.

5. Ho ancora/dopo/<u>appena</u> finito di parlare con il direttore del tuo problema.

6. Qualche giorno <u>fa</u>/appena/più sono passata da Marinella per un caffè.

13 Fai l'abbinamento, come nell'esempio in blu.

Giochi

a [6]   c [7]   b [8]   d [5]   g [1]   e [4]   f [3]   h [2]

1. listino
2. caffè
3. cappuccino
4. tiramisù
5. spremuta d'arancia
6. bibita in lattina
7. cornetto
8. panino

14 Completa il dialogo: metti i verbi negli spazi rossi e i sostantivi negli spazi blu.

panino ◆ prendi ◆ caffè ◆ vorrei ◆ fame ◆ lattina
c'è ◆ gelato ◆ prendo ◆ spremuta d'arancia

cameriera: Buongiorno, cosa prendete?

Luisa: Mario, tu cosa ......*prendi*...... (1)?

Mario: Non so, non ho ancora deciso...
............*C'è*............ (2) il listino? Dov'è?

Barbara: Ecco, è qui!

Mario: Grazie! Allora... io ....*vorrei*........ (3)
mangiare qualcosa: un
............*panino*............ (4) con mozzarella e
pomodoro e da bere un'aranciata.

Luisa: E tu, Piero?

Piero: Io prendo solo una ...*spremuta d'arancia*... (5), ho una sete...

Luisa: Va bene... E tu Barbara, hai ....*fame*............ (6)?

Barbara: No, grazie! ......*Prendo*...... (7) solo un ....*caffè*............ (8).

Mario: Ehm, scusi. Per me l'aranciata non in ....*lattina*............ (9), ma in bottiglia.

Luisa: E per me... un ....*gelato*............ (10) al cioccolato.

cameriera: D'accordo, grazie!

15 a Due coppie (Alberto e Valeria - dialogo 1; Giulio e Alessia - dialogo 2) sono al bar. Ascolta i due
dialoghi e indica cosa hanno ordinato.

28

	Alberto	Valeria	Giulio	Alessia
caffè				
cappuccino	X			
caffè macchiato				X
cioccolata				
toast				
panino con pomodoro e mozzarella		X		
tramezzino con prosciutto e mozzarella				

	Alberto	Valeria	Giulio	Alessia
succo di frutta			X	
spremuta d'arancia				
bibita in lattina				
bottiglia d'acqua naturale		X		
birra alla spina				
cornetto	X			
pezzo di torta				
gelato				

La
bottega
del
Caffè

b Ascolta di nuovo e indica se le affermazioni sono vere o false.

	V	F
1. Valeria non mangia spesso cioccolato.		x
2. Alberto ha molta fame.		x
3. Giulio ha già bevuto un caffè.	x	
4. Alessia preferisce il caffè lungo.	x	

16 Fai l'abbinamento.

1. Le ragazze non sono (*f*)
2. Sono stato male e non sono potuto (*d*)
3. Abbiamo dovuto (*e*)
4. Perché non sei (*h*)
5. Stefano è (*c*)
6. Professore, perché ha dovuto (*a*)
7. Siamo dovuti (*g*)
8. Lucia, perché ieri non hai (*b*)

a. spedire i test di italiano a Perugia?
b. voluto mangiare il panino al prosciutto?
c. dovuto partire da solo.
d. andare alla lezione di inglese.
e. chiedere informazioni per trovare casa tua.
f. volute rimanere dopo cena.
g. tornare presto perché domani andiamo a scuola.
h. voluta venire con me a teatro?

17 Trasforma le frasi al passato prossimo.

1. Monica e Ida vogliono andare in biblioteca a piedi.
   Monica e Ida sono volute andare in biblioteca a piedi.

2. Antonia vuole comprare un divano nuovo.
   Antonia ha voluto comprare un divano nuovo.

3. Per il tuo amico non posso fare niente!
   Per il tuo amico non ho potuto fare niente!

4. Vogliamo vedere tutto il film.
   Abbiamo voluto vedere tutto il film.

5. Per andare al lavoro deve prendere l'autobus.
   Per andare al lavoro ha dovuto prendere l'autobus.

6. Luisa deve rimanere a casa per studiare.
   Luisa è dovuta rimanere a casa per studiare.

7. Giancarlo non può tornare per l'ora di cena.
   Giancarlo non è potuto tornare per l'ora di cena.

8. Elisabetta deve passare da Mario.
   Elisabetta è dovuta passare da Mario.

18 Costruisci delle brevi storie con le seguenti informazioni.

1. Mio fratello | vivere molto tempo estero | abitare dieci anni Stati Uniti | otto anni Cina

   Mio fratello ha vissuto molto tempo all'estero: ha abitato dieci anni negli Stati Uniti e poi otto anni in Cina.

2. Ieri | bar sotto casa | incontrare Nicola | prendere caffè insieme | andare in giro negozi | Nicola comprare dei libri | io non comprare niente

   Ieri al bar sotto casa ho incontrato Nicola e abbiamo preso il caffè insieme. Poi siamo andati in giro per negozi. Nicola ha comprato dei libri, io, invece, non ho comprato niente.

3. Questa mattina | sciopero mezzi trasporto | ma noi non restare a casa | telefonare Piero | andare in ufficio sua macchina

   Questa mattina c'è stato lo sciopero dei mezzi di trasporto, ma noi non siamo restati a casa: abbiamo telefonato a Piero e siamo andati in ufficio con la sua macchina.

19 Completa con le preposizioni.

Abito ___a___ (1) Bologna ___da___ (2) più di 10 anni. Lavoro ___in___ (3) centro, in un bar. Lavoro cinque giorni ___alla___ (4) settimana, dal martedì ___al___ (5) sabato. Il sabato lavoro ___dalle___ (6) 10 ___alle___ (7) 18; gli altri giorni, invece, inizio prima. Vado al lavoro ___a___ (8) piedi perché non abito molto lontano ___dal___ (9) bar. Il sabato sera e la domenica spesso vado al cinema, ___a___ (10) teatro o a cena fuori con gli amici.

20 Completa gli spazi blu con il passato prossimo, gli spazi verdi con il presente e gli spazi rossi con le parole e espressioni date.

> con
> alla fine
> fra
> vicino

Da lì parte una strada che ___porta___ (1. portare) a un piccolo ristorante, si chiama Ungheria, e dentro ___c'è___ (2. esserci) una bella donna ___con___ (3) il suo uomo: non ___sanno___ (4. sapere, loro) bene l'italiano e ___fra___ (5) loro parlano ungherese. Una sera, un uomo di circa sessant'anni ___è entrato___ (6. entrare) nel ristorante, ___è andato___ (7. andare) a un tavolo ___vicino___ (8) alla finestra e ___ha ordinato___ (9. ordinare) da mangiare. ___Alla fine___ (10) della cena, l'uomo ___ha preso___ (11. prendere) un caffè corretto e senza salutare ___è uscito___ (12. uscire).

adattato da *Il filo dell'orizzonte* di A. Tabucchi

21 Scegli l'alternativa giusta.

Il Caffè Gustavo è un piccolo bar nel <u>centro</u>/ufficio/festival (1) della città. La mattina, molte persone ci vanno a fare cena/<u>colazione</u>/appuntamento (2). Con il caffè o il cornetto/<u>cappuccino</u>/violino (3) potete mangiare i dolci della mamma di Gustavo. A mezzogiorno è possibile mangiare un <u>tramezzino</u>/aperitivo/pizza (4) o un panino. La sera, quando c'è musica jazz, al Caffè Gustavo c'è sempre tanta mensa/concerto/<u>gente</u> (5), soprattutto ragazzi.

A Completa il racconto con la forma corretta di *essere* o *avere*.

Ieri mattina Massimo ....*ha*.... (1) voluto fare un giro per le strade del centro. ....*Ha*.... (2) preso l'autobus 19A ed ....*è*.... (3) sceso dopo dodici fermate, in Piazza Garibaldi. È qui che Massimo ....*ha*.... (4) incontrato Carla Insieme ....*sono*.... (5) entrati al bar "Orlando". Massimo ....*ha*.... (6) preso un caffè e un pezzo di torta al cioccolato, Carla, invece, ...*ha*.... (7) bevuto una spremuta d'arancia e ....*ha*.... (8) mangiato un tramezzino al prosciutto cotto. Verso mezzogiorno, Carla ....*è*.... (9) dovuta andare via e Massimo ....*ha*.... (10) potuto continuare il suo giro in centro.

B Scegli l'alternativa corretta.

1. Giacomo ..*c*.. (1) da Parigi dove ..*b*.. (2) un appartamento.
    (1)   a. ha tornato   (2)   a. è comprato
          b. è tornata   b. ha comprato
          c. è tornato   c. ha comprata

2. L'ultimo autobus ..*c*.. (1) 10 minuti fa, per questo ..*b*.. (2) il taxi.
    (1)   a. ha passato   (2)   a. siamo presi
          b. passa   b. abbiamo preso
          c. è passato   c. è preso

3. Alfonso ..*a*.. (1) subito Lucia quando ..*a*.. (2) del nuovo lavoro.
    (1)   a. ha chiamato   (2)   a. ha saputo
          b. è chiamato   b. abbiamo saputo
          c. chiama   c. avete saputo

4. Ragazzi, perché ..*a*.. (1) salire sul treno non ..*c*.. (2) il biglietto?
    (1)   a. prima di   (2)   a. convalidano
          b. prima   b. siete convalidati
          c. dopo   c. avete convalidato

5. Il fratello di Lorenzo è nato ..*c*.. (1) del 1998; la sorella, che è più piccola, è nata ..*c*.. (2).
    (1)   a. nel 23 marzo   (2)   a. a giugno 1990
          b. 23 marzo   b. il giugno del 1990
          c. il 23 marzo   c. nel giugno del 2005

6. Maria, ..*a*.. (1) alla festa che hanno fatto all'università ..*a*.. (2)?
    (1)   a. sei andata   (2)   a. la settimana scorsa
          b. hai andato   b. settimana fa
          c. sei andato   c. settimana passata

7. • Francesco, hai ..*c*.. (1) ordinato?

   • No! Io vorrei bere un ..*a*.. (2) E tu, Paola?

   • Prendo un panino e una spremuta!

   (1) a. sempre   (2) a. cappuccino

         b. ancora   b. gelato

         c. già   c. tramezzino

8. I ragazzi non ..*b*.. (1) fare gli esercizi perché ..*a*.. (2) andare dal medico.

   (1) a. sono dovuto   (2) a. sono dovuti

         b. hanno potuto   b. hanno voluto

         c. hanno saputo   c. siete potuti

C Risolvi il cruciverba.

Orizzontali

5. Musica, canzoni dal vivo.

6. Luogo dove mangiano gli studenti universitari.

7. Un espresso con un po' di latte.

8. Posto dove vedere opere d'arte.

9. Se abbiamo sete, prendiamo una ... :
   può essere in bottiglia o in lattina.

Verticali

1. Una bottiglia d'acqua minerale ... .

2. Un panino al bar: ... e mozzarella.

3. Può essere bionda, chiara, scura;
   in bottiglia o alla spina.

4. Insieme alla mozzarella,
   è necessario per la pizza
   Margherita!

Risposte giuste: .... /35

Giochi

Tempo di vacanze

Unità 5

Quaderno degli esercizi

1 Oggi è domenica 20 novembre. Osserva l'agenda e completa le frasi con le espressioni date.

Fra una settimana ◆ *Venerdì*
Dopodomani ◆ *Sabato*
Il 30 dicembre ◆ *Domani*
A Capodanno ◆ *Il mese prossimo*

1. _____*Domani*_____
   inizierò il corso di inglese.

2. _____*Dopodomani*_____
   darò l'esame di Storia dell'arte.

3. _____*Venerdì*_____
   uscirò: vado a cena con i miei
   compagni.

4. _____*Sabato*_____
   resterò a casa a studiare.

5. _____*Fra una settimana*_____
   andrò al cinema con Gino e Maria.

6. _____*Il mese prossimo*_____
   passerò qualche giorno da mia
   sorella Pina a Firenze.

7. _____*Il 30 dicembre*_____
   visiterò gli Uffizi.

8. _____*A Capodanno*_____
   partirò per la montagna.

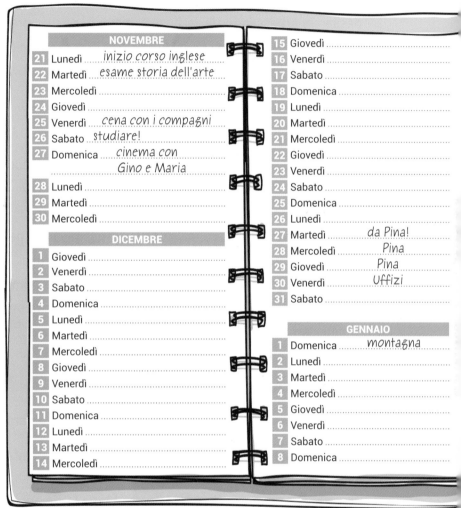

NOVEMBRE
21 Lunedì *inizio corso inglese*
22 Martedì *esame storia dell'arte*
23 Mercoledì
24 Giovedì
25 Venerdì *cena con i compagni*
26 Sabato *studiare!*
27 Domenica *cinema con Gino e Maria*
28 Lunedì
29 Martedì
30 Mercoledì

DICEMBRE
1 Giovedì
2 Venerdì
3 Sabato
4 Domenica
5 Lunedì
6 Martedì
7 Mercoledì
8 Giovedì
9 Venerdì
10 Sabato
11 Domenica
12 Lunedì
13 Martedì
14 Mercoledì

15 Giovedì
16 Venerdì
17 Sabato
18 Domenica
19 Lunedì
20 Martedì
21 Mercoledì
22 Giovedì
23 Venerdì
24 Sabato
25 Domenica
26 Lunedì
27 Martedì *da Pina!*
28 Mercoledì *Pina*
29 Giovedì *Pina*
30 Venerdì *Uffizi*
31 Sabato

GENNAIO
1 Domenica *montagna*
2 Lunedì
3 Martedì
4 Mercoledì
5 Giovedì
6 Venerdì
7 Sabato
8 Domenica

2 Fai l'abbinamento per completare le frasi.

1. Se finirai presto di lavorare (*b*)
2. Maria passerà l'esame (*d*)
3. A Capodanno festeggeremo (*f*)
4. Al mare prenderò (*c*)
5. A Milano io e Giulia visiteremo (*a*)
6. Lucia andrà in campeggio e (*e*)

a. la mostra di Burri a Palazzo Reale.
b. faremo una passeggiata in centro.
c. il sole tutto il giorno!
d. perché ha studiato molto.
e. dormirà in tenda? Davvero?!
f. con i parenti del mio ragazzo.

3 Scegli l'alternativa corretta.

1. Con questo traffico, se non esci subito, perderò/perderai/perderanno il treno.

2. Marco cambieranno/cambierà/cambierai appartamento perché il suo è piccolo.

3. Quest'estate io e la mia famiglia passerà/ passeranno/passeremo le vacanze al mare.

4. Ho fatto la pizza perché i ragazzi torneranno/tornerò/torneremo per cena.

5. Sabato prossimo Giulio e io giocherò/ giocherà/giocheremo a tennis.

6. Oggi tu e papà finiremo/finiranno/finirete presto di lavorare?

7. Zio, per andare a Roma, tu prenderò/ prenderanno/prenderai il treno o l'aereo?

8. Io leggerò/leggerà/leggeranno il tuo libro questo fine settimana.

4 Completa con il futuro dei verbi.

1. La settimana prossima ....*scriverò*........ (scrivere) una lunga mail a mio fratello.

2. Il festival ....*ospiterà*........ (ospitare) un famoso pianista.

3. La prossima estate Luisa e Ada ....*partiranno*........ (partire) per un bellissimo viaggio in Europa.

4. Io e Lia domani mattina ....*usciremo*........ (uscire) alle 6 per andare a correre al parco.

5. Stasera lo spettacolo ....*finirà*........ (finire) alle undici.

6. Ah! Finalmente domani ....*arriverà*........ (arrivare) la primavera!

7. Stasera ....*ascolterete*........ (ascoltare) anche voi il nuovo programma di Radio 2?

8. Domani, Simone ....*andrà*........ (andare) a teatro e ....*vedrà*........ (vedere) una commedia.

5 Completa con il futuro dei verbi dati.

andare ◆ cominciare ◆ dare ◆ essere ◆ fare (2) ◆ restare ◆ avere

1. Anche se è settembre, il tempo è ancora bello: io e i bambini ....*resteremo*........ ancora due o tre giorni qui al mare.

2. Ragazzi, che regalo ....*farete*........ a Marta? Domani è il suo compleanno.

3. Se non puoi partire adesso, noi ....*faremo*........ questo viaggio un'altra volta.

4. Se non hanno studiato abbastanza, Marco e Giulia ....*daranno*........ l'esame di Storia il mese prossimo.

5. Sono già le otto: i ragazzi ....*avranno*........ fame!

6. Il libro di Pavese? ....*Sarà*........ nello studio, sulla scrivania.

7. Quest'estate Giovanna ....*andrà*........ un mese in Inghilterra, a Brighton, per un corso di inglese.

8. A settembre io ....*comincerò*........ un corso di lingua giapponese.

6 Completa il dialogo con il futuro dei verbi dati.

visitare ◆ fare ◆ potere ◆ partire ◆ tornare ◆ mangiare
dormire ◆ telefonare ◆ venire ◆ suonare ◆ prenotare

● Pronto, Luca? Sono io, Matteo. Come stai?

● Oh, ciao Matteo! Tutto bene, grazie. Tu?

● Bene, grazie. Io, Giovanni e Marco _faremo_ (1) una breve gita a Roma. Vuoi venire con noi?

● Che bella idea! Non vado a Roma da molti anni. Quando? Avete già fatto un programma?

● Allora... È l'ultimo fine settimana di marzo: _partiremo_ (2) venerdì subito dopo il lavoro e _torneremo_ (3) lunedì sera. Per il programma... beh, sicuramente _visiteremo_ (4) il centro; poi sabato sera Mannarino _suonerà_ (5) in un bar a San Lorenzo e... beh, _mangeremo_ (6): lo sai, no, che Giovanni ama la cucina tipica!

● Mannarino in concerto?! Beh, allora non posso mancare! Ma dove _dormiremo_ (7)?

● Stasera _telefonerò_ (8) a mia cugina Maddalena che studia a Roma. Magari _potremo_ (9) stare da lei... oppure _prenoteremo_ (10) un appartamento con due camere. Allora? Che dici? _Verrai_ (11)?

● Certo! Prenota tutto anche per me Luca, grazie!

7 Per completare le risposte scegli l'espressione adatta e coniuga il verbo al futuro, come nell'esempio.

essere americani ◆ bere un caffè ◆ dormire già da un po' ◆ studiare l'ultimo giorno
rimanere a casa ◆ essere dal dottore ◆ volere andare a Venezia ◆ avere più di vent'anni

1. ● Ho provato a chiamare Angela, ma non risponde.
   ● Non so, ieri non è stata bene, _sarà dal dottore_...

2. ● Ha chiamato Giacomo. Ha detto che chiamerà più tardi. Ha parlato di una gita.
   ● Ah sì, _vorrà andare a Venezia_ questo weekend.

3. ● Ho invitato Cesare al cinema, ma mi ha detto di no! Tu sai che cosa fa stasera?
   ● _Rimarrà a casa_: di solito non esce la domenica sera.

4. ● Secondo te, di dove sono i turisti?
   ● Chissà, _saranno americani_...

5. ● Dino ha un esame la settimana prossima e non ha ancora aperto un libro!
   ● _Studierà l'ultimo giorno_, come sempre.

6. ● Hai visto Ines, la ragazza di Fabio, hai visto com'è giovane?!
   ● Sì, non _avrà più di vent'anni_

7. ● E Rosa? Non c'è?
   ● No, a quest'ora, secondo me, _dormirà già da un po'_

8. ● Allora, io prendo un caffè, tu un cappuccino e... Mario? Cosa prende?
   ● Mah, _berrà un caffè_ anche lui, no?

8 Come sarà la nostra vita fra 50 anni? Scrivi le descrizioni, come nell'esempio in blu.

essere | città più pulite | senza smog → *Le città saranno più pulite e senza smog.*

1. esserci | grandi città | piccoli paesi
   Ci saranno solo grandi città, non ci saranno più i piccoli paesi.

2. abitare | case piccole | tecnologiche
   Abiteremo in case piccole e molto tecnologiche.

3. usare | in città | solo biciclette | mezzi pubblici | viaggi lunghi | treni veloci
   In città useremo solo le biciclette e i mezzi pubblici, per i viaggi lunghi i treni veloci.

4. non esserci | auto a benzina | esserci solo auto elettriche
   Non ci saranno più auto a benzina, ci saranno solo auto elettriche.

5. lavorare meno | avere | tempo libero essere | meno stressati
   Lavoreremo meno, avremo più tempo libero, saremo meno stressati.

6. persone | vivere | di più
   Le persone vivranno di più.

9 Completa le frasi con il verbo al futuro e poi fai l'abbinamento.

1. Secondo me, se _____*berrai*_____ (bere) molte *(d)*

2. Sì, è vero, non faccio sport... domani *(e)*

3. Se passerà l'esame, Lucia lavorerà e *(a)*

4. Se andremo a Rimini per Natale, *(g)*

5. Appena _____*sapranno*_____ (sapere) che l'esame è a luglio, *(f)*

6. Io e la mamma andremo a fare spese con Silvia, *(c)*

7. Hai sentito? Lunedì non ci saranno treni... *(b)*

a. _____*vivrà*_____ (vivere) a Roma per 3 anni.

b. Chissà! _____*Ci sarà*_____ (esserci) uno sciopero!

c. se _____*terrai*_____ (tenere) tu i bambini domani.

d. spremute d'arancia, starai molto meglio!

e. _____*verrò*_____ (venire) in palestra con te!

f. i miei compagni studieranno giorno e notte!

g. io e mio fratello _____*vedremo*_____ (vedere) Mara e Federica!

10 Abbina le frasi ai disegni e scrivi che cosa farà oggi Pietro, come nell'esempio in blu.

 1 g
 2 e
 3 f
 4 h
 5 b
 6 c
 7 a
 8 d

a. ore 18 andare palestra

b. prendere autobus; arrivare ufficio ore 9

c. pranzo, mangiare qualcosa con collega

d. ore 21, cenare, casa, Cinzia

e. aprire finestra, preparare caffè

f. accendere radio, fare colazione

g. fare doccia

h. ore 8:15 uscire di casa

1. *Farà la doccia.*
2. *Aprirà la finestra e preparerà un caffè.*
3. *Accenderà la radio e farà colazione.*
4. *Alle 8 e 15 uscirà di casa.*
5. *Prenderà l'autobus e arriverà in ufficio alle 9.*
6. *A pranzo mangerà qualcosa con un collega.*
7. *Alle 6 andrà in palestra.*
8. *Alle 21 cenerà a casa con Cinzia.*

11 Metti in ordine le battute del dialogo.

Giochi

Viaggiatore

7 Ecco a Lei. Ah, e da che binario parte?

3 Preferisco l'Intercity.

5 No, solo andata. Quant'è?

9 Perfetto, grazie. Buon pomeriggio!

1 Buongiorno, vorrei andare a Napoli.

Impiegato

2 Buongiorno. Allora... c'è un Frecciarossa alle 17.10 e un Intercity alle 17.30.

6 Per un posto in seconda classe sono 27 euro.

4 Certo. Andata e ritorno?

8 Dal binario 12.

10 Buon viaggio!

12 Completa i mini dialoghi con le parole date.

vicino ◆ controllore ◆ carrozza ◆ prima classe ◆ biglietteria

1. ● Buongiorno, scusi, dov'è la _biglietteria_ (1)?
   ● Lì a destra, _vicino_ (2) al bar.
   ● Grazie!

2. ● Scusa, sai dov'è la _carrozza_ (3) 11?
   ● Mmh... sarà in fondo al treno...
   ● No, lì ci sono le carrozze di _prima classe_ (4).
   ● Allora, non lo so. Perché non chiedi al _controllore_ (5)?
   ● Sì, grazie!

13 Fai l'abbinamento per formare le frasi, come nell'esempio.

1. Non appena avrò preso la laurea, (*f*)
2. Solo dopo che avrete letto il libro, (*e*)
3. Potremo uscire a fare una passeggiata, (*h*)
4. Quando il professore avrà spiegato l'uso del futuro composto, (*a*)
5. Se tra mezz'ora Aldo non sarà arrivato, (*b*)
6. Appena avranno deciso la data, (*d*)
7. Non posso rispondere, ti telefonerò (*c*)
8. Solo quando avrete aperto il pacco, (*g*)

a. non avrai più nessun dubbio.
b. andremo al ristorante senza di lui.
c. appena sarò arrivato a casa.
d. chiederanno un giorno di permesso.
e. capirete perché è così famoso.
f. cercherò lavoro.
g. scoprirete qual è il regalo.
h. solo dopo che avremo fatto gli esercizi.

14 Usa *dopo che*, *quando*, *appena* per trasformare le frasi, come nell'esempio.

Tornerà Teresa e daremo una festa.
Quando (Appena/Dopo che) sarà tornata Teresa, daremo una festa.

1. Arriveremo in albergo e faremo una doccia.
   Quando (Appena/Dopo che) saremo arrivati in albergo, faremo una doccia.

2. Domani vedrò Lia e poi andrò a cena con i miei cugini.
   Quando (Appena/Dopo che) avrò visto Lia, andrò a cena con i miei cugini.

3. Finirete di studiare e potrete uscire.
   Quando (Appena/Dopo che) avrete finito di studiare, potrete uscire.

4. Vedrò lo spettacolo e uscirò a bere qualcosa.
   Quando (Appena/Dopo che) avrò visto lo spettacolo, uscirò a bere qualcosa.

5. Sabato i Martini faranno la spesa e poi puliranno casa.
   Sabato i Martini, dopo che avranno fatto la spesa, puliranno casa.

6. Arriverò a casa e preparerò la cena.
   Quando (Appena/Dopo che) sarò arrivato/a a casa preparerò la cena.

15 Completa le frasi con i verbi al futuro semplice o composto.

1. Se ....*verrai*........ (venire, tu) a Siena per le vacanze ....*potremo*........ (potere, noi) visitare anche i paesi vicini!

2. Mi dispiace, non ....*potrò*........ (potere, io) continuare il corso: il prossimo mese ....*andrò*........ (andare) a vivere all'estero.

3. Appena Emma ....*avrà dato*........ (dare) anche l'esame orale, ...*andrà*........ (andare) in vacanza al mare con i nonni e con i cugini.

4. Appena ....*saremo andati*........ (andare, noi) a vivere nel nuovo appartamento di via del Fossato, ...*inviteremo*........ (invitare) a cena i nostri ex compagni di università.

5. Non è ancora arrivato Giovanni? Chissà... ....*Avrà perso*........ (perdere) l'autobus.

6. ....*Telefonerò*........ (telefonare, io) a Elena, quando il film ....*sarà finito*........ (finire).

7. Non amiamo viaggiare in aereo, per questo ....*prenderemo*........ (prendere) il treno anche se ....*arriveremo*........ (arrivare) più tardi.

8. Dopo che Lucia ....*sarà tornata*........ (tornare) dal prossimo viaggio di lavoro, ...*faremo*........ (fare) un viaggio insieme in Francia.

Piazza del Campo, Siena

16 Che tempo fa? Abbina le espressioni alle immagini.

 1 *b*

 2 *e*

 3 *a*

 4 *c*

 5 *d*

a. Fa caldo.
b. Piove.
c. È nuvoloso.
d. Tira vento.
e. C'è la nebbia.

17 Completa il dialogo con le preposizioni e gli articoli indeterminativi.

- Questo fine settimana sono andata ....*da*.... (1) Camilla, a Padova. Sabato abbiamo fatto ....*un*.... (2) giro in centro e poi, verso le 8, siamo andate ....*a*.... (3) mangiare in ....*un*.... (4) ristorante vegano fuori città... È di un attore famoso...

- Ma dai! Vegano! Avete mangiato bene?

- Sì, tutto buonissimo, mi è piaciuto molto! Ma è stata ....*una*.... (5) cena veloce perché Camilla ha proposto ....*di*.... (6) andare a vedere ....*un*.... (7) film...

- Ah, e che film avete visto?

- Nessun film! Siamo arrivate tardi ....*al*.... (8) cinema e non siamo potute entrare!

18 Gianna è al telefono con un amico. Completa il testo con le espressioni:

un sacco di ♦ *in partenza* ♦ *appena* ♦ *le specialità* ♦ *vado a trovare*
ho troppi bagagli ♦ *è sereno* ♦ *mi dispiace*

Pronto Luca, ciao! Tutto bene, grazie. No, non ho visto il tuo messaggio... Ah, per pranzo? ......*Mi dispiace*...... (1), non posso, sono in aeroporto: sono ......*in partenza*...... (2) per la Sicilia. Sì, sì, ...*vado a trovare*...... (3) mio fratello. Il volo parte tra un'ora, ora faccio il check-in. No, non ho fatto il check-in on line perché ....*ho troppi bagagli*.... (4)! No, no, niente vestiti: in valigia ci sono ......*un sacco di*...... (5) cose buone! Cosa dici? Ahahaha! Ma certo che ci sono ......*le specialità*...... (6) anche al Nord! Come sarà il tempo? Esagerato! Non andrò al mare! Sì, a Palermo ......*è sereno*...... (7), ma fa freddo... Certo, ...*appena*...... (8) sarò tornata, andremo a bere un caffè!

19 Ascolta il dialogo e scegli l'alternativa corretta.

🎧 33

1. Paola e suo marito parlano
   a. a Capodanno
   b. prima di Natale
   c. dopo l'Epifania

2. L'uomo vuole andare
   a. in palestra
   b. al mare
   c. in montagna

3. Il viaggio per Rio de Janeiro costa in tutto
   a. 2.400 euro
   b. 1.100 euro
   c. 2.000 euro

4. La donna vuole andare a Rio de Janeiro
   a. per fare qualcosa di diverso
   b. per vedere parenti lontani
   c. perché non sa sciare

5. All'uomo non piace l'idea di passare le feste a Rio perché
   a. il viaggio costerà un sacco di soldi
   b. non vuole prendere l'aereo
   c. preferisce andare a sciare

A Completa il testo con il futuro semplice o composto dei verbi.

> partire ◆ arrivare ◆ chiudere ◆ rimanere ◆ parlare
> prendere ◆ avere ◆ fare ◆ tornare ◆ vedere

Tra un mese sarà Pasqua: le scuole ....*chiuderanno*.... (1) per due settimane e i miei genitori ....*avranno*.... (2) qualche giorno di vacanza e così tutti insieme, io, loro e le mie sorelle, ...*faremo*.... (3) un bel viaggio all'estero, in Italia!
Abbiamo già un programma... Allora, non appena ...*saremo arrivati*... (4) all'aeroporto di Roma, a Fiumicino, ...*prenderemo*.... (5) il treno per Napoli. A Napoli visiteremo la città, Pompei e l'isola di Capri. Dopo due giorni ....*partiremo*.... (6) per la Toscana.
Alla fine, dopo che ....*avremo visto*.... (7) Firenze e Siena, ...*torneremo*.... (8) a Roma, dove ....*rimarremo*.... (9) qualche giorno. Non vedo l'ora di partire! Sono sicura che sarà una bella esperienza per tutti e che io, finalmente, ...*parlerò*.... (10) un po' l'italiano!

B Scegli l'alternativa corretta.

1. Ho sentito che domani il tempo non ..*b*.. (1) bello e che ..*a*.. (2) su tutta la penisola.

    (1) a. sarò
         b. sarà
         c. sarai

    (2) a. pioverà
         b. pioverò
         c. pioverai

2. Se il treno ..*c*.. (1) in ritardo a Bologna, ..*a*.. (2) il Frecciarossa per Milano.

    (1) a. arriverai
         b. sarà arrivato
         c. arriverà

    (2) a. perderemo
         b. avremo perso
         c. abbiamo perso

3. Quando ..*a*.. (1) a Roma, ..*b*.. (2) da mia cugina Mara che non vedo da qualche anno.

    (1) a. andremo
         b. verremo
         c. passeremo

    (2) a. passerete
         b. passerò
         c. passeranno

4. Quest'anno abbiamo vinto noi la ..*a*.. (1) di Capodanno... Chissà chi ..*b*.. (2) l'anno prossimo!

    (1) a. tombola
         b. colomba
         c. Befana

    (2) a. vinceranno
         b. vincerà
         c. vincono

5. ● Scusi, sa a che ..*b*.. (1) parte il treno per Bologna?
    ● No, mi dispiace. Perché non chiede in ..*c*.. (2)?

    (1) a. binario
         b. ora
         c. costo

    (2) a. controllore
         b. carrozza
         c. biglietteria

6. A che ora ..*c*.. (1) ieri notte? Mah... ..*b*.. (2) le due, non più tardi...

(1)	a. torno	(2)	a. saranno stati
	b. tornerò		b. saranno state
	c. sono tornato		c. saranno

7. Non appena ..*a*.. (1) la partita, ..*b*.. (2) un messaggio a Luca!

(1)	a. sarà finita	(2)	a. avrò mandato
	b. finiranno		b. manderò
	c. è finita		c. mando

8. Hanno detto che questa sera ci sarà un brutto ..*c*.. (1) e domani ..*b*.. (2) freddo.

(1)	a. sereno	(2)	a. avrà fatto
	b. nuvoloso		b. farà
	c. temporale		c. ha fatto

C Risolvi il cruciverba.

Orizzontali

4. L'Intercity per Milano è in partenza dal ... 12.
6. La festa delle maschere.
7. Oggi non piove, ma il cielo è ...
9. Un dolce di Natale.

Verticali

1. Per il ... di Capodanno preparerò un sacco di cose da mangiare.
2. Un biglietto di prima ... sull'Intercity per Roma.
3. Giorno di festa a metà agosto.
5. Il treno Regionale, ferma in tutte le ...
8. Oggi non fa molto freddo, ma tira ...

Risposte giuste: ..../35

Giochi

2° test di ricapitolazione

Quaderno degli esercizi

A Completa con le preposizioni semplici e articolate.

1. Non mi piace telefonare ....*ai*.... miei amici. Preferisco mandare messaggi.
2. Sono andato ....*a*.... spedire un pacco ....*ai*.... miei genitori.
3. Prenderò qualche giorno ....*di*.... vacanza ....*per*.... stare ...*con i*... miei figli!
4. Hai cercato bene? Il tuo vestito bianco è ....*nell'*.... armadio, vicino ....*a*.... quello verde.
5. Domani vado ...*all'/in*... aeroporto: arrivano i miei zii ...*dalla*... Germania.
6. La farmacia si trova ....*in*.... via Cesare Pavese, proprio davanti ....*al*.... bar.
7. ....*Alle*.... 17 devo andare ....*dal*.... dentista.
8. Vieni ....*in*.... centro ....*con*.... me? Voglio comprare una gonna.
9. Il tuo cellulare è ....*sul*.... tavolo *della/in* cucina.   ..../18

B Completa con le preposizioni.

1. Se tutto andrà bene, prenderò la laurea ...*alla*... fine ...*di*... questo mese.
2. Per favore, puoi portare Maria ...*dal*... dottore? Non sta bene.
3. Quando andrai ....*in*.... Olanda?
4. Gli appunti ...*di*... Mario sono ...*nella*... mia borsa.
5. I ragazzi sono rimasti ancora ...*per*... qualche giorno ...*dai*... nonni.
6. Secondo le previsioni, pioverà ...*per*... tutta la settimana ...*nell'*... Italia del Nord.
7. Stasera andiamo a cena ...*da*... Lucia e Renzo.
8. Cercate ...*nel*... cassetto: ci sono i miei occhiali ...*da*... sole?   ..../13

C Scegli l'alternativa corretta.

- Mamma, se domani vai in centro, vengo con te: voglio comprare <u>dei</u>/degli regali.
- Ma non puoi cercare in qualche negozio qua vicino? Ci sono <u>dei</u>/delle negozi molto carini...
- Mmh... ho già cercato, ma non mi piace niente.
- In libreria ho visto <u>dei</u>/delle libri molto interessanti... anche dei/<u>delle</u> agende molto utili...
- Agende? No, i regali sono per dei/<u>degli</u> amici di Luca che andiamo a trovare domenica: hanno appena cambiato casa. Avevo pensato a dei/<u>delle</u> tazzine o a <u>dei</u>/degli bicchieri...
- Ah, ho capito. Allora vieni con me: conosco un bel negozio di cose per la casa!

......../7

D Completa il dialogo con i possessivi.

- Ciao Piero, tutto bene? Ricordi che sabato c'è la _mia_ festa, no? Vieni, vero? Così conoscerai il _mio_ professore di inglese, Paul.
- Luca! Certo, verrò! Mmh... Posso portare anche Sonia, una _mia_ collega?
- Sì, non c'è nessun problema. Ricordi la strada per arrivare a casa _mia_?
- Sì, sì...
- Ah, ieri ho incontrato Monica con il _suo_ nuovo ragazzo, Fabio. È molto simpatico... Ho invitato anche lui...
- Ah, bene! Allora conoscerò anche lui alla _tua_ festa!

.... /6

E Completa le frasi con il passato prossimo dei verbi.

1. Claudia, come _hai passato_ (passare) il fine settimana? _Sei andata_ (Andare) a trovare i tuoi genitori o _sei rimasta_ (rimanere) a Milano?
2. Ragazzi, se _avete finito_ (finire), potete andare via!
3. L'altro giorno io e Andrea _siamo usciti_ (uscire) e _abbiamo incontrato_ (incontrare) Lia.
4. _Sono passati_ (Passare) tanti anni, ma tu, Antonio, non _sei cambiato_ (cambiare).
5. Valeria, _hai fatto_ (fare) lo scontrino?
6. Non veniamo con voi perché _abbiamo visto_ (vedere) questo film sabato scorso.
7. Giulio _ha cambiato_ (cambiare) casa, ora vive in centro.
8. Chi _ha vinto_ (vincere) la partita a carte?

.... /12

F Completa le frasi con il futuro semplice o composto.

1. Quando _avrò comprato_ (compare, io) il biglietto per la partita, _potrò_ (potere) prenotare il volo per Napoli.
2. Se non _verranno_ (venire, loro) alla mia festa, non _parlerò_ (parlare) più con loro.
3. Se Alessandro e la sua ragazza non _avranno_ già _mangiato_ (mangiare), _dovrai_ (dovere, tu) preparare qualcosa per loro.
4. Per prima cosa _cercheremo_ (cercare, noi) una buona palestra, poi _cominceremo_ (cominciare) a fare sport!
5. Giacomo _aprirà_ (aprire) una farmacia appena _prenderà_ (prendere) la laurea.
6. Sono certo che Luisa _farà_ (fare) il possibile per Anna.
7. Se _ascolterai_ (ascoltare, tu) l'ultima canzone della Pausini, forse _capirai_ (capire) perché ha venduto milioni di copie in tutto il mondo.
8. Ragazzi, oggi è sabato e _potremo_ (potere, noi) tornare a casa anche dopo le due.

.... /14

Risposte giuste: .... /70

⏻ *Tutti gli esercizi sono disponibili in formato interattivo su www.i-d-e-e.it*

Quaderno degli esercizi

1 Completa i messaggi con i possessivi dati.

mio ◆ mie ◆ mia ◆ tue ◆ sua ◆ suoi

 Lucia! Da quanto tempo! Io sto bene, anzi, benissimo: finalmente sono libera!

Davvero! Ma ti sei laureata?

 No, non ancora, la laurea sarà a settembre, ma ho dato gli ultimi esami!

Complimenti! E adesso? Andrai in vacanza con le ..... *tue* ..... (1) amiche?

 Eh, no, non ancora... Vorremmo andare al mare, ma le ..... *mie* ..... (2) amiche non hanno finito gli esami e non abbiamo ancora prenotato...

Ho un'idea: vieni qui! Dai, festeggiamo insieme il ..... *mio* ..... (3) compleanno e poi... partiamo e andiamo a Taormina dalla ..... *mia* ..... (4) amica Emma! Mi ha invitato a casa ..... *sua* ..... (5) per due settimane! Ci saranno anche i ..... *suoi* ..... (6) cugini! Sono simpaticissimi... Ho passato molte estati con loro!

 Magari! Non so... Ora do un'occhiata ai voli!

2 Completa i possessivi.

Viaggi Vagamondo
La vacanza dei vostr..*i*.. sogni è in Italia.

1

Lavoro
Avete un computer?
Il lavoro viene a casa vostr..*a*.. !

2

Bar aroma
I nostr..*i*.. gelati daranno più sapore alla vostr..*a*.. giornata.

5

La foto più bella!

Partecipare è facile.
Aspettiamo le vostr...*e*... foto.

3

Scuola di lingue ABC
Comincia quando vuoi: il tu..*o*.. corso di lingua è sempre on line!

4

PIZZA

Pizzeria Da Mario
Le nostr...*e*....
pizze non sono come le altre...

6

3 Metti in ordine le parole per formare le frasi. Comincia con la parola blu.

1. Luigi e | suoi | partiranno | amici | per | i | l'Inghilterra.
   Luigi e i suoi amici partiranno per l'Inghilterra.

2. il | treno? | vostro | a che | partirà | ora
   A che ora partirà il vostro treno?

3. tuoi | l'esame | i | farete | compagni | di Storia? | tu e
   Tu e i tuoi compagni farete l'esame di Storia?

4. in ritardo! | volo | mio | il | già | è
   Il mio volo è già in ritardo!

5. alla | ballato | nostra | festa! | tanto | avete
   Avete ballato tanto alla nostra festa!

6. loro | fanno | la | domenica | genitori | giardinaggio. | i
   I loro genitori la domenica fanno giardinaggio.

4 Una telefonata tra Lorenzo e Alessia. Scegli l'alternativa corretta.

Alessia: Ciao Lorenzo. Come va?

Lorenzo: Alessia, ciao! Insomma... non molto bene: devo cambiare casa!

Alessia: Perché? Ma hai appena cambiato! Che problemi ha il mio/tuo (1) appartamento?

Lorenzo: Non posso studiare! I miei/loro (2) vicini... Proprio ora che preparo i miei/tuoi (3) ultimi esami!

Alessia: Sì... i vostri/tuoi (4) ultimi esami... Sentiamo, che cosa fanno i miei/tuoi (5) vicini? Perché non puoi studiare?

Lorenzo: La coppia litiga sempre, i loro/vostri (6) figli hanno lezione di violino due ore al giorno e poi... il loro/suo (7) cane! È terribile!

Alessia: Ma hai provato a parlare con loro? Anche i nostri/tuoi (8) vicini sono tipi rumorosi, ma abbiamo parlato con loro e non abbiamo problemi... Anzi sono diventati nostri/vostri (9) amici!

5 Scegli le frasi corrette e poi completa il nome del piatto italiano nella foto, come nell'esempio in blu.

1. Io ho il ragazzo.
   - Il mio ragazzo si chiama Pierre. (A)
   - Il suo ragazzo si chiama Pierre. E

2. Io ho due gatti.
   - I miei gatti sono molto carini. (G)
   - I suoi gatti sono molto carini. I

3. Gianna ha molti fiori in giardino.
   - I loro fiori sono bellissimi. G
   - I suoi fiori sono bellissimi. (L)

4. Silvio e Franca hanno un bambino.
{ Il loro bambino ha quattro anni. (B)
{ Il mio bambino ha quattro anni. P

5. Noi abbiamo un professore italiano.
{ Il suo professore è di Roma. E
{ Il nostro professore è di Roma. (O)

6. Voi avete molti bagagli.
{ Sono pesanti i vostri bagagli? (N)
{ Sono pesanti i loro bagagli? I

7. Anna ama gli spaghetti al pesto,
{ sono il suo piatto preferito. (E)
{ sono il loro piatto preferito. A

8. John ha molti amici.
{ I tuoi amici non sono italiani. C
{ I suoi amici non sono italiani. (S)

LASAGNE ALLA BOLOGNESE

6 Trasforma i possessivi e il resto della frase dal singolare al plurale e viceversa, come nell'esempio.

La mia amica Eva verrà con me. → *Le mie amiche Lia ed Eva verranno con me*

1. I tuoi vicini di casa sono molto simpatici. → *Il tuo vicino di casa è molto simpatico*
2. La sua storia è molto interessante. → *Le sue storie sono molto interessanti*
3. I nostri amici francesi sono arrivati ieri. → *Il nostro amico francese è arrivato ieri*
4. Il mio gatto ha gli occhi verdi. → *I miei gatti hanno gli occhi verdi*
5. I suoi ultimi libri sono molto belli. → *Il suo ultimo libro è molto bello*
6. Abbiamo fatto noi il vostro biglietto. → *Abbiamo fatto noi i vostri biglietti*
7. La loro pizza è senza mozzarella. → *Le loro pizze sono senza mozzarella*

7 Scrivi le frasi con il possessivo giusto e il verbo al presente (p.), al passato prossimo (p.p.) o al futuro semplice (f.).

(comprare, io, p.p.) la bicicletta di Paola. → *Ho comprato la sua bicicletta.*

1. (portare, f.) io gli zaini dei ragazzi.
Porterò io i loro zaini
2. (perdere, tu, p.p.) il numero di telefono di Maurizio?
Hai perso il suo numero ?
3. Sono sicuro che il cane di Luca (stare, f.) bene con noi.
Sono sicuro che il suo cane starà bene con noi
4. In piazza (incontrare, voi, f.) gli amici miei e di Fernando.
In piazza incontrerete i nostri amici
5. I bambini (mangiare, p.p.) metà della pizza di Lucia.
I bambini hanno mangiato metà della sua pizza
6. Per l'esame (volere, noi, p.) gli appunti tuoi e di Aldo.
Per l'esame vogliamo i vostri appunti

8 Leggi le descrizioni (1-7) e scrivi i nomi (a-g) che mancano.

1. Teresa è la madre di Franco.
2. Franco è il fratello di Luisa.
3. Luisa è la moglie di Piero.
4. Ada è la sorella di Giulio.
5. Piero è lo zio di Bruno.
6. Luigi è il nonno di Ada.
7. Viviana è la nipote di Teresa.

a. Luigi   Teresa

Anna   b. Franco   c. Luisa   d. Piero

e. Viviana   f. Bruno   g. Giulio   Ada

9 Scegli l'alternativa corretta. Vedi anche l'Approfondimento grammaticale a pag. 208 del Libro dello studente.

Conosco Giovanna da più di vent'anni ed è la mia/mia (1) più cara amica. Giovanna è architetto e ha una bella famiglia: vive con il suo/suo (2) marito Lorenzo, che è medico, i loro/loro (3) figli, Riccardo e Davide, che vanno a scuola, e il loro/loro (4) cane, Pablo.
La settimana scorsa Giovanna ha fatto una festa per i suoi quarant'anni e ha invitato un sacco di gente: i suoi/suoi (5) genitori e i loro/loro (6) amici, la sua/sua (7) sorella, il suo/suo (8) "fratellino" (anche se ha quasi quarant'anni anche lui!) e i nostri/nostri (9) vecchi amici del liceo. Io ci sono andato con la mia/mia moglie e la nostra/nostra (10) figlia.
È stata una festa molto divertente!

10 Completa con i possessivi con o senza articolo, come nell'esempio.

1. Stefano, ___tuo___ fratello lavora ancora all'Università di Bologna?
2. Luisa ha 25 anni, ma per me resta sempre ___la mia___ sorellina.
3. ___Mia___ sorella ed io siamo ancora giovani e viviamo con ___i nostri___ genitori.
4. Al cenone a casa mia sono venuti tutti ___i miei___ zii e hanno portato anche ___i loro___ figli.
5. Mario e ___mio/suo___ cugino studiano Matematica all'Università di Napoli.
6. Gli italiani amano passare il fine settimana con ___la loro___ famiglia.
7. Ragazze, ___i vostri___ zii abitano ancora in Inghilterra?
8. Signor Bertoli, c'è ___sua___ moglie al telefono.
9. Marcella, come si chiama ___tuo___ padre?

11 Completa il dialogo con le parole/espressioni date.

antipasto ◆ contorno ◆ vorrei ◆ da bere
possiamo ordinare ◆ ti piaceranno ◆ vorrei

Bruno: Cosa prendiamo?

Luisa: Non so, ___vorrei___ (1) mangiare qualcosa di leggero, ieri non sono stata bene.

Bruno: Va bene, chiediamo al cameriere... Scusi, ___possiamo ordinare___ (2)?

Cameriere: Certo.

Bruno: Allora, io come ___antipasto___ (3) prendo il prosciutto di Parma. E poi come primo...

Luisa: Prendi le linguine al pesto: sono sicura che ___ti piaceranno___ (4)!

Bruno: Va bene, prendo le linguine.

Cameriere: E per Lei, signora?

Luisa: Io ___vorrei___ (5) una bistecca ai ferri e, come ___contorno___ (6), un'insalata mista.

Cameriere: E ___da bere___ (7) cosa porto?

Bruno: Acqua naturale. Grazie.

Giochi

12 Scegli l'alternativa corretta.

1. Quando c'è il sole, <u>mi piace</u>/mi piacciono fare passeggiate.
2. Non <u>mi piace</u>/mi piacciono il gelato al cioccolato.
3. Non mi piace/<u>mi piacciono</u> i film storici.
4. Mi piace/<u>Mi piacciono</u> tanto le penne al pomodoro!
5. A me piace/<u>piacciono</u> le canzoni di Emma! A te?
6. <u>Mi piace</u>/Mi piacciono andare al mare con i miei amici.
7. Non <u>mi piace</u>/mi piacciono uscire quando piove.
8. A me <u>piace</u>/piacciono la cucina italiana, invece a mia sorella <u>piace</u>/piacciono quella francese.

13 Guarda le immagini. Poi completa il testo con le parole mancanti, come nell'esempio.

Per iniziare bene la giornata bisogna fare una buona colazione. Ma cosa mettere in tavola? Uno yogurt bianco con un _cucchiaio_ di _miele_ (1), una tazza di _latte_ (2) con i cereali o il tè con dei _biscotti_ (3)? Al posto dei cereali possiamo anche mangiare delle _fette biscottate_ (4) con il burro oppure un _cornetto_ (5). E per chi preferisce la colazione salata? Beh, può bere una _spremuta_ (6) di arancia, mangiare un po' di frutta e un _panino_ (7) con il prosciutto crudo.

14 Metti in ordine le parole per formare le frasi. Comincia con la parola blu.

1. ci | vuole | panna cotta | latte | il | per | la | fare
   Ci vuole il latte per fare la panna cotta ?

2. in | 3 ore | montagna | arrivare | per | vogliono | ci
   Per arrivare in montagna ci vogliono 3 ore .

3. preparare | ragazzi, | metterete | a | lo zaino | ci | quanto
   Ragazzi, quanto ci metterete a preparare lo zaino ?

4. ci | per | pane | è | il | cuocere | voluta | mezz'ora
   Per cuocere il pane ci è voluta mezz'ora .

5. più in | di | macchina o | ci | moto | mettiamo | in
   Ci mettiamo di più in macchina o in moto ?

6. imparare | messo | quanto | a | l'italiano | hanno | ci
   Quanto ci hanno messo a imparare l'italiano ?

15 Completa con la forma giusta di *volerci* o *metterci*, come nell'esempio. Attenzione al tempo verbale!

1. Per prendere l'autobus _ci vuole_ il biglietto?
2. Ieri per tornare a casa _ci sono volute_ due ore!
3. Avete trovato traffico? Perché _ci avete messo_ tanto ad arrivare?
4. Per costruire il nuovo stadio hanno programmato che _ci vorranno_ dieci anni.
5. Con tutte queste domande, i ragazzi domani _ci metteranno_ più di tre ore per fare il test.
6. Se non ci sarà la fila alla cassa, _ci metterò_ solo 10 minuti.
7. Alla fine a che ora sei arrivata ieri? Quante ore _ci hai messo_ in macchina?
8. Per fare gli gnocchi _ci vogliono_ le patate giuste!

16 a Scegli l'alternativa corretta.

1. In quello/quel bar fanno un cappuccino davvero buonissimo.
2. Ieri ho incontrato quel/quell' amico di Mario che lavora con Lucia, l'ex di Lorenzo.
3. Hai visto quei/quelle signori? Sono i miei vicini di casa.
4. Quel/Quella ragazza bionda è al corso di italiano con noi.
5. Quei/Quegli studenti vicino alla finestra sono inglesi.
6. Quel/Quell' piatto deve essere veramente buono.

b Completa con la forma giusta di *questo* o *quello*. Vedi anche l'Approfondimento grammaticale a pag. 209 del Libro dello studente.

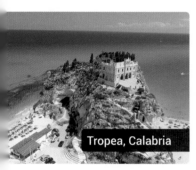
Tropea, Calabria

1. ......*Quest'*...... estate andremo in vacanza in Calabria!
2. Sai chi è di nuovo single? ......*Quell'*...... amica di Lucia che ti piace tanto!
3. Cosa facciamo ......*questo*...... fine settimana? Facciamo una gita?
4. Antonio, ...*questa*...... pizza è tua? Ha il pomodoro fresco.
5. Giulia e Bianca sono uscite con i ragazzi che hanno conosciuto a ......*quel*...... corso di yoga, ricordi?
6. ......*Questo*...... ristorante è il mio preferito: ci vengo ogni settimana.

17 Completa con le parole date.

bel ◆ begli ◆ quella ◆ bell' ◆ bella ◆ quel

Duomo, Milano

1. In piazza hanno messo un ......*bell'*...... albero di Natale.
2. Preferisci l'acqua naturale o ......*quella*...... frizzante?
3. Maria ha comprato una ......*bella*...... casa vicino a Piazza Bologna.
4. ......*Begli*...... amici che hai: sono andati via senza salutare!
5. Perché hai litigato con ......*quel*...... signore? Cos'è successo?
6. Ieri ho comprato un ......*bel*...... libro.

18 Completa lo schema con le parole che mancano nelle frasi. Nella colonna verde troverai il nome di un piatto fatto con pomodoro e mozzarella.

1. Per bere uso il ...
2. Tesoro, ... tu il formaggio per la pasta?
3. Nel menù le lasagne sono tra i ... piatti.
4. La frutta è ..., di stagione.
5. Faccio bollire l'acqua nella ...
6. Il cuoco ... il sugo con un grande cucchiaio.
7. Per friggere il pesce uso la ...

1	B	I	C	C	H	I	E	R	E
2	G	R	A	T	T	U	G	I
3	P	R	I	M	I
4	F	R	E	S	C	A
5	P	E	N	T	O	L	A
6	M	E	S	C	O	L	A
7	P	A	D	E	L	L	A

19 Scegli la preposizione corretta.

il culatello

la signora Miriam

Miriam Leonardi è la cuoca della trattoria "La Buca" che si trova vicino <u>a</u>/di (1) Zibello. Zibello, in provincia con/<u>di</u> (2) Parma, è un piccolo paese di duemila abitanti, famoso perché lì fanno il culatello più buono per l'/<u>d'</u> (3) Italia. «Non vado quasi mai <u>in</u>/di (4) vacanza. Cosa vado a fare nel/<u>al</u> (5) mare? Lì non sono importante. Invece qui vengono in tanti di/<u>a</u> (6) provare i miei piatti e la mia cucina», dice la signora Miriam, sempre gentile e allegra. Miriam prepara i piatti tradizionali <u>di</u>/per (7) sua nonna, piatti tra il/<u>del</u> (8) passato. Ma "La Buca", trattoria che esiste <u>da</u>/con (9) più di cento anni, è forse un ristorante lontano della/<u>dalla</u> (10) tecnologia? Non proprio, visto che <u>sul</u>/dal (11) menù trovate, oltre ai saporiti piatti della cuoca, due indirizzi e-mail e un sito internet...

adattato da *www.repubblica.it*

20 Completa con le preposizioni giuste.

Tra pochi giorni ci sarà all'*Arena* ...*di*... (1) Verona il concerto dei *Negramaro*, una ...*delle*... (2) più importanti band del pop rock italiano. I *Negramaro* cominceranno ...*da*... (3) Verona il loro tour, che continuerà ...*in*... (4) tante altre città italiane: Genova, Livorno, Modena, Milano, Torino, Roma. Sono tanti i fan che aspettano la data ...*del*... (5) concerto di Verona perché, ...*in*... (6) un luogo come l'*Arena*, sarà un'esperienza speciale. Io e Lucia andremo ...*al*... (7) concerto e verranno ...*con*... (8) noi anche due nostri amici svizzeri molto simpatici.

I Negramaro

21 Possessivi. Trova e correggi i 6 errori.

1. <u>Nostro</u> piatto preferito è la pasta al pesto! *Il nostro*
2. Io e mia madre andremo qualche giorno a Madrid. _____
3. Per la festa del mio compleanno, sono venuti tutti <u>miei</u> cugini. *i miei*
4. Loro sono Marta e Giulia. <u>Loro</u> mamma è insegnante di inglese. *La loro*
5. Perché non ci andate con <u>gli vostri</u> zii? *i vostri*
6. Durante le loro vacanze è sempre piovuto. _____
7. <u>In suo</u> bar il caffè si beve in piedi. *Nel suo*
8. <u>La tua nonna</u> è partita per l'America da bambina? *Tua*
9. I tuoi nipoti sono molto simpatici. _____

A Completa l'email con i possessivi corretti, con o senza articolo.

Carissima Eleonora,
che piacere avere ......*tue*...... (1) notizie! Ho appena letto ......*la tua*...... (2) email e ho visto le foto delle vacanze... Che bella la Sardegna! E come è diventato grande ......*il tuo*...... (3) Giovanni! Quest'anno va in terza elementare, no? La ......*sua*...... (4) insegnante è sempre la stessa? Io, Anna e Luca stiamo bene: ......*le nostre*...... (5) giornate sono più tranquille da quando abitiamo qui in paese. E voi? Come state? E come stanno ......*i tuoi*...... (6) genitori? ......*Tua*...... (7) madre? E ......*tuo*...... (8) padre? È andato in pensione o lavora ancora?
Adesso ti saluto perché sono in classe e tra due minuti arriveranno ......*i miei*...... (9) studenti... Se mi vedono con il cellulare in mano, prendono subito ......*il loro*...... (10) smartphone e cominciano a scrivere messaggi agli amici...
Un abbraccio e a presto!
Alberto

B Scegli l'alternativa corretta.

1. Come ..*b*.. (1) prendo un piatto di linguine al pesto e come ..*c*.. (2) un'insalata verde.

   (1) a. secondo   (2) a. secondo
        b. primo   b. dolce
        c. antipasto   c. contorno

2. A che ora parte ..*b*.. (1) treno che ..*b*.. (2) tre ore da Milano a Roma?

   (1) a. quello   (2) a. ci vuole
        b. quel   b. ci mette
        c. quella   c. ci vogliono

3. Per venire a lezione da casa nostra, di solito, ..*c*.. (1) circa 20 minuti in auto, ma noi ..*c*.. (2) la metà del tempo in moto.

   (1) a. ci vuole   (2) a. ci mettono
        b. ci vogliamo   b. ci mette
        c. ci vogliono   c. ci mettiamo

4. Io ..*b*.. (1) comprare un ..*b*.. (2) appartamento in centro.

   (1) a. ci voglio   (2) a. bel
        b. vorrei   b. bell'
        c. volere   c. bello

5. Ho seguito la ricetta ..*c*.. (1) nonna per preparare ..*a*.. (2). Buonissima!

   (1) a. tua   (2) a. la torta di mele
        b. della tua   b. la spremuta d'arancia
        c. di tua   c. il latte

6. Non ..*b*.. (1) friggere, preferisco ..*a*.. (2) leggero.

    (1)   a. mi piaci   (2)   a. cucinare
            b. mi piace   b. mangiare
            c. mi piacciono   c. mescolare

7. ..*b*.. (1) genitori andranno al mare a Ischia, anche se ..*c*.. (2) madre non è molto d'accordo.

    (1)   a. I suoi   (2)   a. la sua
            b. I nostri   b. la nostra
            c. Nostri   c. nostra

8. Mamma, per favore, puoi ..*a*.. (1) ancora un po' di salame? È veramente ..*b*.. (2).

    (1)   a. tagliare   (2)   a. salato
            b. mangiare   b. buono
            c. grattugiare   c. cotto

C Risolvi il cruciverba.

Risposte giuste: .... /35

Giochi

Tutti gli esercizi sono disponibili
in formato interattivo su *www.i-d-e-e.it*

Al cinema

Unità 7

Quaderno degli esercizi

1 a Fai l'abbinamento.

1. La domenica andava spesso a sciare con i suoi amici. *(d)*
2. Da piccoli, non mangiavano mai le verdure. *(f)*
3. Studiavamo insieme all'università. *(e)*
4. Credevo di andare in vacanza a luglio... *(c)*
5. Quella sera volevate andare al cinema. *(b)*
6. Tutte le mattine andavi a correre. *(a)*

a. tu
b. tu e Alfredo
c. io
d. Ada
e. io e Nicola
f. i nostri figli

b Unisci le colonne per completare le forme dell'imperfetto e le frasi.

1. Io da ragazzo gioc- *av-o (c)*
2. Tu, quando viv- *ev-i (e)*
3. Luisa al liceo dorm- *iv-a (d)*
4. Mario e io prend- *ev-amo (f)*
5. A scuola voi studi- *av-ate (a)*
6. Ricordo che i miei nonni guard- *av-ano (b)*

-av-
-ev-
-iv-

-o
-amo
-i
-a
-ate
-ano

a. anche il francese?
b. la televisione dopo cena.
c. a calcio molto bene.
d. spesso a casa di Elena.
e. a Genova, andavi sempre al mare?
f. sempre il caffè dopo pranzo.

2 Scegli l'alternativa corretta.

1. Mentre <u>raccontava</u>/raccontavi la sua storia, Valerio era così divertente che tutti <u>ascoltavano</u>/ascoltano senza dire una parola.
2. Ieri sera, mentre mangiavano/<u>mangiavo</u>, i bambini giocavi/<u>giocavano</u> nella loro camera.
3. Io non sapevamo/<u>sapevo</u> niente di questa storia!
4. Qualche anno fa Martina non uscivamo/<u>usciva</u> spesso, <u>preferiva</u>/preferivamo stare a casa a vedere un film o a leggere un buon libro
5. Quando era giovane Marina portavi/<u>portava</u> la 44.
6. Luca e Sebastiano, alle sette meno un quarto, dormivate/<u>dormivano</u> ancora.
7. Sonia è uscita appena è finito il film: <u>doveva</u>/dovevi partire, non <u>voleva</u>/volevi perdere l'aereo!
8. Nella mia casa in Toscana, quando <u>aprivo</u>/aprivate la finestra, potevamo/<u>potevo</u> sentire il profumo dei fiori.

3 Nel palazzo in via Margutta 32, hanno rubato un quadro da un appartamento. L'agente di polizia interroga i vicini: cosa facevano alle due del pomeriggio? Osserva le immagini e completa le frasi.

1. Io _____leggevo_____ il giornale in salotto.

2. Io _____dormivo_____ perché la notte lavoro in ospedale.

3. Noi _____guardavamo_____ la tv: a quell'ora c'è il telegiornale.

4. Luca _____lavorava_____: fa il cameriere in un ristorante qui vicino.

5. Io _____ascoltavo_____ la radio: a quell'ora c'è il mio programma preferito.

6. Io _____aspettavo_____ l'autobus: passa sempre alle due!

4 Completa con i verbi dati, come nell'esempio in blu.

facevi • c'era • faceva • diceva • traducevo • veniva • ero • beveva • stavamo

1. Ieri _____c'era_____ il sole e _____faceva_____ caldo.

2. Quando ho iniziato a studiare l'italiano _____traducevo_____ tutto nella mia lingua.

3. _____Ero_____ in fila in banca quando è suonato il mio cellulare.

4. Solo adesso ho capito che Giulia non _____diceva_____ sempre la verità.

5. Prima di avere il bambino, lei _____beveva_____ molti caffè.

6. Quando io e Luca _____stavamo_____ insieme, lui _____veniva_____ tutti i giorni a casa mia.

7. Durante l'università _____facevi_____ anche tu il cameriere nei fine settimana?

5 Completa le risposte con l'imperfetto e poi fai l'abbinamento.

1. Ma Monique conosce l'italiano? *(e)*
2. Che lavoro fa Giovanni? *(f)*
3. Com'è andata al concerto ieri? *(b)*
4. Signora, cosa prende? Un caffè? *(d)*
5. Ieri sera hai telefonato a Marcella? *(a)*
6. Sei sempre stato il più bravo della classe. *(c)*

a. Sì, ma lei ......*era*...... (essere) al cinema con Stefania.

b. Bene, anche se ......*c'era*...... (esserci) molta gente e sono rimasto in piedi.

c. No, non è vero, il più bravo ......*eri*...... (essere) tu.

d. No, grazie. Prima ......*bevevo*...... (bere) molti caffè... ora, però, preferisco il tè.

e. Certo, parla l'italiano molto bene! Quando era giovane *traduceva* (tradurre) libri e racconti dall'italiano al francese.

f. So che prima ......*faceva*...... (fare) l'attore; adesso non so.

6 Completa con l'imperfetto dei verbi.

L'estate scorsa ......*faceva*...... (1. fare) molto caldo, io non ......*avevo*...... (2. avere) nessuna voglia di restare in città, ma ......*dovevo*...... (3. dovere) scrivere la tesi. I miei amici certo non sono stati di grande aiuto... ......*erano*...... (4. essere) tutti insieme in campeggio e ogni sera, mentre (5. fare) ......*facevano*...... l'autostop per andare in centro a ballare, ...*caricavano*...... (6. caricare) nella chat le foto della giornata: Ale che ......*prendeva*...... (7. prendere) il sole, i ragazzi che ......*giocavano*...... (8. giocare) a calcio, Luca che ......*faceva*...... (9. fare) il bagno... Io, invece... ......*scrivevo*...... (10. scrivere) la mia tesi!

7 Completa il dialogo con l'imperfetto dei verbi e le parole e espressioni date.

ci ◆ non dimenticherò mai ◆ ricordo quella volta ◆ ti ricordi

● ......*Ti ricordi*...... (1) quando siamo andati in Italia?

● Certo che mi ricordo! Per poco non ......*perdevamo*...... (2. perdere) l'aereo!

● Eh sì, tu non ......*trovavi*...... (3. trovare) il passaporto, quel giorno ......*c'era*...... (4. esserci) un gran traffico e siamo arrivati in ritardo all'aeroporto...

● Beh, dai, poi è andato tutto bene! In Italia ......*faceva*...... (5. fare) bel tempo e abbiamo visitato molte città.

● Sì, e poi abbiamo mangiato benissimo. *Non dimenticherò mai* (6) gli spaghetti che abbiamo mangiato a Napoli: ......*erano*...... (7. essere) proprio saporiti!

● *Ricordo quella volta* (8) che abbiamo preso il treno e non abbiamo convalidato il biglietto: che ridere!

● È stato veramente un bel viaggio: ......*sembrava*...... (9. sembrare) tutto così romantico e divertente. Sì, ...*ci*...... (10) dobbiamo tornare!

8 Roberto è andato a vivere fuori città. Completa le frasi con l'imperfetto dei verbi in blu e scopri come è cambiata la sua vita.

1. Prima, quando _iniziavo_ la giornata non _avevo_ voglia di lavorare. Ora quando inizio la giornata ho voglia di fare molte cose.

2. Prima _uscivo_, _andavo_ al bar o al cinema, ma non _ero_ contento. Ora esco, vado a fare delle passeggiate con il mio cane e sono contento.

3. Prima _ero_ sempre triste e non _ridevo_ mai. Ora sono sempre allegro e rido spesso.

4. Prima _vedevo_ poco i miei amici: qualche volta _venivano_ loro a casa mia, ma non _avevamo_ mai molto tempo. Ora vedo i miei amici molto spesso: vengono loro a casa mia e abbiamo molto tempo per stare insieme.

9 Completa con l'imperfetto e fai l'abbinamento.

1. Quando Paolo _preparava_ (preparare) la cena, (d)
2. La sera, mentre io studiavo (f)
3. Ascoltavo la radio tedesca... (a)
4. _Guardavamo_ (Guardare, noi) il film (e)
5. Quando Marcella _doveva_ (dovere) dare un esame, (b)
6. Quando voi _eravate_ (essere) piccoli, (c)

a. ma non _capivo_ (capire) nulla!
b. studiava giorno e notte.
c. passavate l'estate a casa dei nonni.
d. poi non _lavava_ (lavare) mai le pentole e le padelle.
e. e _mangiavamo_ (mangiare) pop corn.
f. i miei fratelli _ascoltavano_ (ascoltare) musica.

10 Completa il racconto con l'imperfetto dei verbi.

Molti anni fa, quando andavo all'università, ho fatto un corso di italiano. Tutti _dicevano_ (1. dire) che l'italiano _era_ (2. essere) facile, ma per me non _era_ (3. essere) così: l'insegnante _parlava_ (4. parlare) sempre in italiano e io non _capivo_ (5. capire) molto. I miei compagni _riuscivano_ (6. riuscire) a parlare, ma io no perché _ero_ (7. essere) agitato e non _volevo_ (8. volere) fare errori. Piano piano, però, ho iniziato a parlare anch'io. Non è stato facile, ma sono contento di avere imparato l'italiano.

11 Scegli l'alternativa corretta.

1. Quando studiavo/ho studiato all'università, il fine settimana uscivo sempre con i miei amici.
2. Ho ricevuto quell'offerta di lavoro mentre ero/sono stata in Italia.
3. Lavoravo/Ho lavorato tutta l'estate come cameriera per pagare i libri dell'università.
4. Ieri non facevo/ho fatto la doccia perché non c'era acqua calda.
5. Quando non abitava in città, faceva/ha fatto la spesa una volta al mese.
6. Stella diceva/ha detto che domani verrà a cena da noi.
7. Luciano ha detto/diceva sempre di volere un cane, ma alla fine ha preso/prendeva un gatto!

8. Ieri, mentre <u>aspettavamo</u>/abbiamo aspettato l'autobus, <u>abbiamo conosciuto</u>/conoscevamo una signora molto simpatica.

9. I miei figli studiavano/<u>hanno studiato </u>l'italiano per tre anni.

12 Completa con l'imperfetto o il passato prossimo.

1. Lucia e Ilaria ......*sono andate*...... (andare) a Parigi l'autunno scorso.
2. Da piccoli i miei nipoti ......*volevano*...... (volere) sempre andare al mare.
3. Ieri sera io ......*ho visto*...... (vedere) un film molto interessante.
4. Alla festa ......*c'erano*...... (esserci) molte cose da mangiare.
5. Alla festa noi *abbiamo incontrato* (incontrare) Marta, la cugina di Lorenzo.
6. Quando andavo al liceo, ...*studiavo*...... (studiare) quattro ore al giorno.

13 Scegli l'alternativa corretta.

1. Quando Paolo <u>comprerà</u>/compra/ha comprato una casa in Italia, <u>sceglierà</u>/avrà scelto/ha scelto una città tranquilla, Ferrara, ad esempio.
2. Monica, l'amica di Gabriella, è/è stata/<u>era</u> una ragazza dolce e simpatica. Domani siamo andati/<u>andremo</u>/andavamo insieme al cinema.
3. Ieri <u>sono rimasta</u>/rimanevo/rimango a casa tutto il giorno perché non ho avuto/<u>avevo</u>/ho voglia di uscire.
4. Questa mattina mentre <u>venivo</u>/sono venuto/vengo in ufficio avrò/avevo/<u>ho avuto</u> un problema con l'auto.
5. Ieri sera non usciamo/<u>siamo usciti</u>/uscivamo di casa perché fa/farà/<u>faceva</u> molto freddo.
6. Ieri sera i nostri colleghi <u>hanno preso</u>/prendevano/prenderanno un taxi perché non hanno saputo/<u>sapevano</u>/sapranno come arrivare al loro hotel a piedi!

Ferrara

14 Metti i verbi in blu al passato prossimo, i verbi in verde all'imperfetto e completa gli spazi rossi con le espressioni date.

dopo un po' ◆ alla fine ◆ all'inizio ◆ così

Ieri la mia giornata *è cominciata* (1. cominciare) alle sette. *Ho fatto* (2. Fare) colazione al bar sotto casa: *all'inizio* (3) ho ordinato solo un caffè, ma poi *ho preso* (4. prendere) anche un cornetto. Di solito vado al lavoro a piedi, ma ieri *pioveva* (5. piovere) molto e non *avevo* (6. avere) l'ombrello, *così* (7) sono andato alla fermata dell'autobus. *Ho aspettato* (8. Aspettare) più di mezz'ora, ma l'autobus non *passava* (9. passare)... *Dopo un po'* (10) ho telefonato al mio collega Luca e ho scoperto che *c'era* (11. esserci) sciopero dei mezzi pubblici! *Alla fine* (12) ho preso un taxi e *sono arrivato* (13. arrivare) in ufficio con due ore di ritardo!

15 Scegli la frase corretta.

1. a. Gianni ha un fratello che ha vissuto 5 anni in Argentina. ✓
   b. Gianni ha un fratello che viveva 5 anni in Argentina.
   c. Gianni aveva un fratello che viveva 5 anni in Argentina.

2. a. Quando ho telefonato, Marta ha già fatto la doccia.
   b. Quando ho telefonato, Marta faceva la doccia. ✓
   c. Quando avevo telefonavo, Marta ha già fatto la doccia.

3. a. Ieri studiavo tutto il giorno e la sera sono stato molto stanco.
   b. Ieri studiavo tutto il giorno e la sera ero molto stanco.
   c. Ieri ho studiato tutto il giorno e la sera ero molto stanco. ✓

4. a. Ho aspettato due ore e poi sono andato via. ✓
   b. Aspettavo due ore e poi sono andato via.
   c. Ho aspettato due ore e poi andavo via.

5. a. Mentre ho aspettato l'autobus, ho visto Gina.
   b. Mentre aspettavo l'autobus, vedevo Gina.
   c. Mentre aspettavo l'autobus, ho visto Gina. ✓

16 Completa con il passato prossimo e l'imperfetto.

Sabato scorso _____era_____ (1. essere) una bella giornata e _____c'era_____ (2. esserci) il sole, così io e i miei amici _____abbiamo fatto_____ (3. fare) una gita in montagna. _____Eravamo_____ (4. Essere) tutti allegri, _____abbiamo camminato_____ (5. camminare) per circa due ore e _____siamo arrivati_____ (6. arrivare) vicino a un piccolo lago. Quando _____abbiamo deciso_____ (7. decidere) di partire per tornare a casa, Enrico non _____trovava_____ (8. trovare) più le chiavi della macchina e senza le chiavi non _____potevamo_____ (9. potere) tornare a casa, così _____siamo andati_____ (10. andare) a dormire in un albergo lì vicino.

17 Scegli l'alternativa corretta. Vedi anche l'Approfondimento grammaticale a pag. 210 del Libro dello studente.

1. Ieri, noi <u>dovevamo</u>/abbiamo dovuto prendere il treno delle 9, ma siamo arrivati tardi in stazione.
2. Ieri sera Lucia non voleva/<u>è voluta</u> uscire perché doveva finire un lavoro.
3. Negli anni scorsi, potevo/<u>ho potuto</u> viaggiare perché avevo molto tempo libero e abbastanza soldi.
4. Giacomo voleva/<u>è voluto</u> restare al lavoro per finire un progetto e non poteva/<u>è potuto</u> andare all'appuntamento con Katia.
5. Dario <u>doveva</u>/è dovuto andare a casa, ma alla fine è rimasto con noi.
6. Ma non <u>dovevate</u>/avete dovuto visitare il Duomo? Alla fine avete solo fatto spese, mi sembra!
7. Sono arrivate tardi a cena dalla zia perché, oltre al Museo del Cinema, volevano/<u>hanno voluto</u> visitare anche quello Egizio!
8. Ieri i ragazzi <u>volevano</u>/sono voluti andare a mangiare la pizza, ma alla fine hanno cucinato un buon risotto a casa!

18 Fai l'abbinamento e completa con la forma giusta dei verbi.

1. Angela _doveva_ (dovere) venire
   con noi (c)

2. Ho preso un taxi (d)

3. Noi _volevamo_ (volere) passare le
   vacanze al mare (a)

4. I signori Berni non _sono potuti_ (potere)
   venire (f)

5. Non _volevate_ (volere, voi) uscire (b)

6. Voi non _avete voluto_ (volere) cambiare
   lavoro perché (g)

7. Marco, non sei potuto rimanere (h)

8. _Dovevo_ (Dovere) andare
   a quella festa (e)

a. ma alla fine siamo rimasti in città.

b. perché c'era il calcio in TV; per fortuna,
   però, avete cambiato idea.

c. ma ha cambiato idea e non è venuta.

d. perché _dovevo_ (dovere) arrivare in
   ufficio per le sette.

e. ma ho preferito stare a casa e guardare un
   film.

f. perché avevano un appuntamento di lavoro.

g. non offrivano uno stipendio migliore.

h. perché _dovevi_ (dovere) tornare a
   casa?

19 Rispondi alle domande con il trapassato prossimo, come nell'esempio.

- Vai ancora in palestra?
- No, _avevo iniziato_ (iniziare) ad andare in palestra,
  ma ora vado in piscina.

1. • Sei riuscito a trovare un biglietto sul Torino-Roma?
   • Sì, perché _avevo prenotato_ (prenotare) un mese fa.

2. • Ma non avete comprato niente all'aeroporto?
   • No, perché _avevamo speso_ (spendere) tutti i nostri
     soldi a Londra.

3. • Hai incontrato Marco e Francesco alla festa?
   • No, quando sono arrivata, loro _erano andati_ (andare)
     via da un po'.

4. • Perché Emanuele non è venuto al mare con noi?
   • Perché _aveva promesso_ (promettere) alla sua ragazza
     di andare in montagna.

5. • Perché non siete venuti a pranzo da Lucio?
   • Perché _avevamo invitato_ (invitare) la nonna a casa
     nostra: abbiamo mangiato tutti insieme per festeggiare il suo
     ottantesimo compleanno!

6. • Paola, ma cosa è successo ieri?
   • Sono rimasta chiusa fuori di casa perché
     avevo dimenticato (dimenticare) le chiavi sul tavolo
     della cucina.

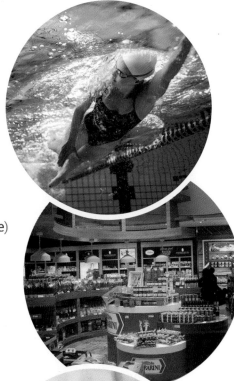

20 Usa le parole date per scrivere le frasi, come nell'esempio. Attenzione ai tempi!

1. ieri | libro | arrivare | ordinare | online | settimana scorsa
   Ieri è arrivato il libro che avevo ordinato online la settimana scorsa.

2. ieri sera | potere andare | spettacolo | non esserci più biglietti
   Ieri sera non siamo potuti andare allo spettacolo perché non c'erano più biglietti.

3. quando | io chiamare | loro non rispondere | forse già uscire
   Quando ho chiamato non hanno risposto: forse erano già usciti.

4. noi invitare Claudio | ma | non potere venire
   Avevamo invitato anche Claudio, ma non è potuto venire.

5. non potere venire | alla mostra ieri | avere preso | un altro impegno
   Non sono potuto venire alla mostra ieri perché avevo preso un altro impegno.

6. l'anno scorso | Marta | trovare lavoro a Milano | non volere andarci
   L' anno scorso Marta aveva trovato lavoro a Milano, ma non è voluta andarci.

21 Completa con il tempo passato corretto.

1. Ieri alla radio *ho sentito* (sentire, io) una canzone che *ascoltavo* (ascoltare) spesso tanti anni fa.

2. Quando *siamo arrivati* (arrivare, noi) al cinema il film *era* già *iniziato* (iniziare).

3. I bambini *erano* (essere) stanchi perché *avevano giocato* (giocare) a calcio tutto il pomeriggio.

4. Ieri *avevo* appena *finito* (finire, io) di pulire la macchina del caffè quando *sono entrate* (entrare) nel bar due signore!

5. Fabrizio non *aveva* (avere) fame perché *aveva mangiato* (mangiare) molto a colazione.

6. Quando Tiziana *è tornata* (tornare) dal suo viaggio in Africa, *ha raccontato* (raccontare) tutto quello che (vedere) *aveva visto*.

7. Ieri io e Giulio *siamo andati* (andare) a fare spese e *abbiamo incontrato* (incontrare) Stefania che non *vedevamo* (vedere) da circa un anno.

8. Il signor Boldi *ha conosciuto* (conoscere) sua moglie quando *è andato* (andare) in vacanza in Australia.

9. Appena Lorenzo *è salito* (salire) sull'autobus per l'aeroporto, *ha capito* (capire) che *aveva dimenticato* (dimenticare) il passaporto a casa!

22 Completa il testo con il passato prossimo, l'imperfetto e il trapassato.

La prima volta che Roberta ....*è uscita*........
(1. uscire) di sera con suo fratello, più piccolo di lei,
è stato a Sanremo, quando ....*erano*........
(2. essere, loro) in vacanza al Victory Morgana Bay.
Non ....*aveva scelto*........ (3. scegliere) lei il locale, ma
suo fratello, che ....*parlava*........ (4. parlare) tre
lingue, ...*era*........ (5. essere) alto, alla moda
ed elegante. ...*Erano passati*... (6. Passare) tanti
anni e non ....*erano*........ (7. essere) più i due
ragazzi che per molto tempo *avevano dormito* (8.
dormire) insieme nella stessa camera.

Sanremo

adattato da *Il mare in salita*, R. Postorino

23 Completa i dialoghi con le espressioni date.

Sono d'accordo con Lei! ♦ *Hai ragione!*
Non lo so... ♦ *No, non è vero!*

Bologna

1. • Qui dice che il locale preferito dagli italiani è il fast food...
   • ....*No, non è vero!*........ Gli italiani non amano i fast food!

2. • Hai visitato Bologna? Non è veramente bella?
   • ....*Hai ragione!*........ Anche a me è piaciuta tanto.

3. • Signor Gabbi, secondo me i giovani devono andare a vivere da soli prima dei trent'anni. È d'accordo?
   • ..*Sono d'accordo con Lei!*.. Ma il problema è che prima devono trovare un lavoro!

4. • La carbonara è la pasta più buona!
   • ....*Non lo so...*........ Io preferisco la pasta alla Norma...

24 Completa il racconto con le preposizioni.

Quando siamo arrivati ..*a*.. (1) Firenze pioveva e ..*in*.. (2)
giro non c'era nessuno. Non avevo l'indirizzo *dell'* (3) albergo
perché avevo lasciato l'agenda *sulla* (4) scrivania *del* (5) mio
ufficio.

Mentre cercavo ..*tra*.. (6) le mie carte, ho alzato la testa e ho
visto proprio davanti ..*a*.. (7) noi "Albergo Venezia": era il
nostro! Siamo stati veramente fortunati. Abbiamo preso le
valigie *dalla* (8) macchina e siamo entrati. Non vedevamo l'ora
di andare ..*in*.. (9) camera ..*per*.. (10) fare una bella doccia
calda e riposare un po' prima di uscire a visitare la città sotto la
pioggia!

25 Completa gli spazi rossi con le preposizioni e gli spazi verdi con le parole date.

sua ♦ suoi ♦ interpreta ♦ nonna ♦ vincerà

Anna Magnani nasce ......*a*...... (1) Roma il 7 marzo 1908. Qualche mese dopo ....*sua*............ (2) madre va a vivere ad Alessandria d'Egitto ...*con*.... (3) il nuovo marito. La piccola Anna rimane con la ....*nonna*............ (4). A quindici anni va a vivere ....*per*.... (5) un anno ad Alessandria, ma la nuova famiglia ...*della*... (6) madre non è la sua famiglia. Così torna a Roma e inizia ......*a*...... (7) studiare teatro. ......*Nel*.... (8) 1928 comincia a lavorare in teatro e poi nel cinema. Grazie ......*al*..... (9) cinema, diventa famosa in tutto il mondo. Fra i ....*suoi*............ (10) film più conosciuti, ricordiamo *Roma città aperta* e *La rosa tatuata*. Con quest'ultimo film ......*vincerà*...... (11) il Premio Oscar come migliore attrice protagonista nel 1956: è la prima attrice italiana a vincere questo premio! Un altro momento molto importante della sua carriera è il 1962 quando ...*interpreta*... (12) la protagonista ....*del*.... (13) film di Pier Paolo Pasolini *Mamma Roma*. Anna Magnani è una ...*delle*... (14) più grandi attrici della storia del cinema italiano.

26 Ascolta il dialogo e scegli l'alternativa corretta.

39

1. Secondo Mario, l'ultimo film di Garrone
    a. è complicato
    b. non è niente di speciale
    c. è bellissimo

2. Carla non vuole vedere il film d'azione perché
    a. Scamarcio non recita bene
    b. ultimamente vedono sempre quelli
    c. non le piace DiCaprio

3. Il protagonista del film è
    a. DiCaprio
    b. Scamarcio
    c. geloso di Dino

4. Il film che hanno scelto
    a. ha una trama originale
    b. non ha recensioni molto buone
    c. è una commedia storica

A Completa il testo con l'imperfetto o il passato prossimo dei verbi.

scoprire ♦ vivere ♦ vedere ♦ cercare ♦ rubare
esserci ♦ cadere ♦ succedere ♦ raccontare ♦ volere

Ieri sera __*ho visto*__ (1) un film molto bello. __*Raccontava*__ (2) la storia di un ragazzo, Enzo, che __*viveva*__ (3) a Roma, in periferia, e per vivere __*rubava*__ (4). Un giorno, mentre la polizia __*cercava*__ (5) Enzo, lui __*è caduto*__ (6) nel Tevere e lì... __*è successo*__ (7) qualcosa... Il giorno dopo Enzo __*ha scoperto*__ (8) di avere dei poteri da supereroe! Naturalmente __*c'era*__ (9) anche un "cattivo" che __*voleva*__ (10) i poteri di Enzo... Vuoi sapere come va a finire? Puoi guardare anche tu il film!

B Scegli l'alternativa corretta.

1. Anna __c__ (1) al lavoro in macchina quando __b__ (2) la notizia alla radio.

   (1)   a. andrà   (2)   a. sentiva
         b. è andata   b. ha sentito
         c. andava   c. avrà sentito

2. Quando __b__ (1) ragazzi, in città __c__ (2) molto meno traffico.

   (1)   a. siamo stati   (2)   a. era
         b. eravamo   b. era stato
         c. c'eravamo   c. c'era

3. A lezione, il professore di Amburgo __b__ (1) in tedesco e Luisa __c__ (2) in italiano.

   (1)   a. ha spiegato   (2)   a. traduce
         b. spiegava   b. ha tradotto
         c. aveva spiegato   c. traduceva

4. I ragazzi non __a__ (1) raccontare la trama: non __c__ (2) il film.

   (1)   a. potevano   (2)   a. vedranno
         b. volevate   b. vedono
         c. dovevamo   c. avevano visto

5. Se ricordi bene, l'anno scorso, Maria e Riccardo non __a__ (1) alla tua festa di compleanno perché non __b__ (2) l'invito.

   (1)   a. sono venuti   (2)   a. ricevevano
         b. venivano   b. avevano ricevuto
         c. verranno   c. sono ricevuti

6. ● Ho letto sul giornale che i bambini usano troppo gli smartphone e stanno troppe ore su internet. Tu __c__ (1) ne pensi, Paola, sei d'accordo?
   ● __a__ (2)

   (1)   a. dove   (2)   a. Sì, sono d'accordo.
         b. quanto   b. Sì, ha ragione!
         c. cosa   c. Sì, penso di no.

7. Non ..*b*.. (1) fame, per questo non ..*a*.. (2).

   (1) a. avevano avuto   (2) a. hanno mangiato
        b. avevano   b. mangeranno
        c. erano   c. mangiano

8. Federico Fellini è stato un grande ..*c*.. (1) ed ..*c*.. (2) con Giulietta Masina, un'attrice italiana.

   (1) a. comico   (2) a. è sposato
        b. giornalista   b. sposava
        c. regista   c. era sposato

C Risolvi il cruciverba.

Orizzontali

  3. A Rita l'idea è piaciuta, ma vorrei sentire anche il tuo ...
  6. Il personaggio principale di una storia.
  8. Commedia, giallo, thriller sono ... cinematografici.
  9. Il Frecciarossa è un treno ad alta ...

Verticali

  1. Mi piace molto la ... di questo libro.
  2. Tra il primo e il terzo.
  4. Il lavoro di Sofia Loren.
  5. Tipo di pasta che cuciniamo al forno.
  7. Angelo non ha ancora parlato a quella ragazza perché è molto ...

Risposte giuste: ..../35

Giochi

Fare la spesa
Unità 8

1 Abbina ogni frase alla parola giusta.

1. Lo bevo tutte le mattine prima di andare in ufficio. (*d*)
2. Le compro perché a colazione bevo sempre una spremuta. (*a*)
3. Li mangio a colazione con il latte. (*g*)
4. La faccio alla cassa per pagare. (*h*)
5. Lo leggo tutti i giorni. (*b*)
6. Le uso per cucinare. (*c*)
7. Li vedo tutti i giorni a lezione. (*e*)
8. La dimentico sempre a casa! (*f*)

a. le arance
b. il giornale
c. le pentole
d. il caffè
e. i miei compagni
f. la lista della spesa
g. i biscotti
h. la fila

2 Fai l'abbinamento.

1. Ti piace la TV? (*c*)
2. Sono certa che Leo, il mio gatto, (*f*)
3. Voi conoscete Nadia e Cristina? (*a*)
4. Perché hai preso il prosciutto? (*e*)
5. Voi parlate, parlate... (*d*)
6. C'è sciopero dei mezzi pubblici... (*g*)
7. Se sarai a casa, (*b*)

a. Sì, le conosciamo, sono molto simpatiche.
b. ti chiamerò stasera.
c. No, ma la guardo quando danno dei bei film.
d. ma nessuno vi ascolta!
e. Così lo mettiamo nei panini per la gita.
f. mi aspetta sulla porta di casa!
g. Ci porti tu allo stadio, zia?

3 Scegli il pronome diretto corretto.

1. Grazie, questi fiori sono bellissimi, li/lo/vi metterò sul tavolo in salotto.
2. Ragazzi, li/ci/vi invito tutti alla mia festa.
3. Signor Rossi, cosa doveva dirmi? Lo/Le/La ascolto.
4. Non possiamo restare: i nostri figli ci/mi/vi aspettano per cena.
5. Giorgio parla due lingue, l'inglese e il tedesco, e lo/la/le parla molto bene.
6. Vedi quell'orologio? Ti/Lo/La regalerò a mia moglie.
7. La cioccolata calda mi piace, ma le/la/mi preferisco amara.
8. Che belli quegli stivali! Adesso entro e lo/le/li compro.

4 Completa con i pronomi diretti.

1. Se siete d'accordo, _vi_ aspetto davanti al cinema alle 7.
2. Ho dimenticato di scrivere l'email a Luca! _La_ puoi scrivere tu?
3. Hai fatto la pizza? _La_ mangio volentieri!
4. Lo zucchero e il caffè sono finiti. Chi _li_ va a comprare?
5. Massimo, _ti_ aiuto a preparare la cena?
6. Signorina, quando avrà finito, _La_ prego di venire nel mio ufficio.
7. È vero, non leggo tanto, ma il libro di Paolo _lo_ leggerò sicuramente!
8. Il corso di Storia è molto interessante: _lo_ seguono più di 150 studenti!

5 Completa le risposte con il pronome *lo* e la forma verbale corretta, come nell'esempio.

- Sapete chi viene ad abitare nella casa accanto?
- Sì, _lo sappiamo_: arrivano due studenti americani.

1. • Quando saprete se partirete per Napoli il mese prossimo?
   • _Lo sapremo_ non appena avremo fatto i biglietti.

2. • Quando saprai se hai passato l'esame?
   • _Lo saprò_ lunedì, credo.

3. • Sapete se Aldo e Caterina verranno a trovarci nel weekend?
   • Non _lo sappiamo_ ancora, decideranno domani.

4. • Scusi, sa da quale binario parte il treno per Roma?
   • No, _non lo so_, mi dispiace. Può chiedere al controllore.

5. • Ma i ragazzi sanno che a marzo ci sarà il concerto di Ligabue?
   • Sì, _lo sanno_ e hanno già comprato i biglietti!

6. • Ragazzi, lo sapevate che Lucia parte per l'Erasmus?
   • Sì, _lo sapevamo_. Lo ha postato su Facebook.

6 Scegli le risposte corrette e completa l'espressione del fumetto.

1. Hai saputo? Zia Luana viene a trovarci per la Befana!
   - Che bella notizia! (M)
   - Che bella idea! N

2. Non posso venire al cinema con voi. Non sto bene.
   - Che fortuna! O
   - Accidenti! (A)

3. No... Davvero hai perso il treno?!
   - Sì, per due minuti! Che rabbia! (N)
   - Sì, per due minuti! Che bello! M

4. Organizziamo una festa sabato?
   - Sì, che bella idea! (G)
   - Sì, che fortuna! C

M A N N A G G I A

5. Ho trovato l'ultimo iPhone con lo sconto del 35%! { Che brutta notizia! **E**
    { Che fortuna! (**G**)

6. Questa estate farò un viaggio in Italia, andrò a Roma. { Bene! Che bella giornata! **G**
    { Bene! Che bello! (**I**)

7 Di che cosa? Fai l'abbinamento.

1. A giugno, ne darò quattro. *(f)*
2. Ne mangio una al giorno. *(c)*
3. Ne bevo uno dopo pranzo. *(e)*
4. Ne compro un etto. *(a)*
5. Ne leggo uno al mese. *(b)*
6. Ne vorrei un chilo. *(d)*

a. prosciutto crudo
b. libro
c. mela
d. pane
e. caffè
f. esami

8 Completa come nell'esempio.

- Bevete tutto questo latte oggi?
- Sì, _lo beviamo_ tutto. / No, _ne beviamo_ solo un litro.

1. - Prendi tutti questi giornali?
    - Sì, _li prendo_ tutti.

2. - Mangi tutta questa pasta?
    - No, _ne mangio_ solo un piatto.

3. - Conosci tutti i professori della scuola?
    - Sì, _li conosco_ quasi tutti.

4. - Farai tutti questi esercizi?
    - No, _ne farò_ solo alcuni.

5. - Inviterete tutte queste persone alla festa?
    - Sì, _le inviteremo_ tutte.

6. - Perché preparate tutte queste torte?
    - _Ne prepariamo_ tante perché alla festa verrà molta gente!

7. - Signora, quanti pomodori vuole? Due chili o tre chili?
    - _Ne voglio_ solo un chilo, grazie.

9 Completa i participi passati.

1. Bello il film di Nanni Moretti che mi hai regalato! L'ho vist_o_ ieri sera con Cristina, veramente bello.

2. Ti piace questo vestito? L'ho comprat_o_ nel negozio vicino alla banca.

3. Gli amici di Piero sono simpatici. Li ho conosciut_i_ alla sua festa.

4. Ti piacciono le mie scarpe? Le avevano regalat_e_ a mia sorella, ma lei non le metteva mai e le ha dat_e_ a me.

5. Marco, dove sono i regali per i bambini? Non li hai portat_i_?

6. L'email di Marta? Non l'ho ricevut_a_, quando l'ha mandat_a_?

7. Maria? L'ho vist_a_ ieri, ma non mi ha detto niente del suo nuovo lavoro.

8. Hai visto che bel mazzo di fiori? L'ho ricevut_o_ per il mio compleanno!

9. Non trovo le chiavi. Che strano, le avevo mess_e_ qui.

10 Riscrivi la parte di frase in verde, come nell'esempio.

Non vedevo Mario da tanto tempo e ho incontrato Mario allo stadio.
Non vedevo Mario da tanto tempo *e l'ho incontrato allo stadio*.

1. Ho cercato i biscotti, ma non ho trovato i biscotti.
   Ho cercato i biscotti, *ma non li ho trovati*.

2. Non ho salutato Alice perché non ho visto Alice.
   Non ho salutato Alice *perché non l'ho vista*.

3. Ho scritto due email ma non ho spedito le email.
   Ho scritto due email *ma non le ho spedite*.

4. Abbiamo chiuso le finestre ma il vento ha aperto le finestre.
   Abbiamo chiuso le finestre *ma il vento le ha aperte*.

5. Ho comprato un nuovo libro ma ho dimenticato il libro da Lidia.
   Ho comprato un nuovo libro *ma l'ho dimenticato da Lidia*.

6. Devo rifare il passaporto perché ho perso il passaporto.
   Devo rifare il passaporto *perché l'ho perso*.

11 Completa le risposte con *ne* e il passato prossimo.

1. • Avete visitato tutte le chiese di Roma?
   • No, siamo stati a Roma pochi giorni: *ne abbiamo visitate* solo tre o quattro, le più importanti.

2. • Hai invitato tutti i tuoi amici al matrimonio?
   • No, *ne ho invitati* solo alcuni.

3. • Quanti caffè hai bevuto da stamattina?
   • *Ne ho bevuti* solo due.

4. • Sofia, hai grattugiato il formaggio?
   • Non ho avuto molto tempo, *ne ho grattugiato* solo un po'.

5. • Hai sentito l'ultima canzone di Mahmood?
   • *Ne ho sentite* molte, ma l'ultima non l'ho ancora sentita.

6. • Fabio, quante foto hai mandato ai tuoi compagni?
   • Veramente, *non ne ho mandata* nessuna.

7. • Hai incontrato i tuoi professori alla presentazione del libro?
   • *Ne ho incontrato* solo uno, gli altri non sono potuti venire.

8. • Signor Gigli, ha fatto tutti gli esercizi di inglese?
   • No, *ne ho fatti* un po', ma non li ho finiti.

12 Completa con *lo*, *la*, *li*, *le* o *ne* e il passato prossimo dei verbi.

1. Di scarpe *ne ho comprate* (comprare, io) molte, però queste sono le più comode.
2. Le ragazze, Natalia *le ha incontrate* (incontrare) in biblioteca: erano andate lì per studiare.

3. Io, di cani, _____ne ho_____ (avere) tre e _____li amo_____ (amare) molto.

4. I film di Benigni, _____li ho visti_____ (vedere) tutti, ma quello che mi piace di più è *La vita è bella*.

5. Belle canzoni a Sanremo, no? _____Ne ho sentite_____ (sentire) molte e quella di Achille è la migliore!

6. Di gente simpatica, a quella festa, _____ne ho conosciuta_____ (conoscere) proprio poca!

7. Il tiramisù _____l'hanno mangiato_____ (mangiare) tutto i ragazzi, ma se vieni a pranzo da noi domenica ne faccio un altro.

8. Di case, io e Grazia _____ne abbiamo viste_____ (vedere) almeno dieci, ma erano tutte molto care.

13 Completa le risposte, come nell'esempio. Attenzione al tempo verbale!

- Carlo ha cambiato casa? Quando?
- Un mese fa, _l'abbiamo saputo_ da sua sorella.

1. • La settimana prossima c'è il concerto di Arisa!
   • _____Lo sappiamo_____, abbiamo già comprato i biglietti.

2. • Simpatica, no, la nuova professoressa d'italiano?
   • Sì, molto, _____l'ho conosciuta_____ ieri.

3. • Chi sono i signori Wolff?
   • Sono dei signori di Bonn, _____li ho conosciuti_____ quando sono andato in vacanza alle Maldive.

4. • Anna, Francesco parte per gli Stati Uniti!
   • Davvero? Non _____lo sapevo_____! Tu quando l'hai saputo?

5. • Papà, ha chiamato il professor Perrone. Ma chi è?
   • Ah, _____l'ho conosciuto_____ molti anni fa a Torino, eravamo colleghi.

6. • Dovevate portare i documenti per l'abbonamento alla metro...
   • Davvero? Non _____lo sapevamo_____. Possiamo portarli lunedì?

Giochi

14 Completa il dialogo con le espressioni.

cosa posso fare ♦ sei molto gentile ♦ Mi puoi aiutare
ti aiuto ♦ ho bisogno del tuo aiuto ♦ Mi dispiace

Kate: Ciao, Angelo, _ho bisogno del tuo aiuto_ (1).

Angelo: Ciao Kate, _____cosa posso fare_____ (2) per te?

Kate: Sai, devo scrivere una mail alla scuola di italiano e non voglio fare errori. _____Mi puoi aiutare_____ (3)?

Angelo: _____Mi dispiace_____ (4), ma adesso non posso. Possiamo scriverla oggi pomeriggio?

Kate: Credi che avrai abbastanza tempo?

Angelo: Certo, vedrai, non ci metteremo tanto.

Kate: Grazie, _____sei molto gentile_____ (5)

Angelo: Figurati, lo sai che se posso, _____ti aiuto_____ (6) volentieri.

15 Completa le frasi come negli esempi. Metti il pronome dopo l'infinito nelle frasi dispari (1, 3, 5) e prima del verbo modale in quelle pari (2, 4, 6).

Se è finito lo zucchero / posso portare io un pacco di zucchero.
Se è finito lo zucchero, *posso portarne io un pacco.*
Se è finito lo zucchero, *ne posso portare io un pacco.*

1. Mi dispiace, il vestito che piace a Lei non c'è / Vuole vedere un altro vestito?
Mi dispiace, il vestito che piace a Lei non c'è. *Vuole vederne un altro* ?

2. I biscotti che ho comprato sono molto buoni / vuoi assaggiare un biscotto?
I biscotti che ho comprato sono molto buoni, *ne vuoi assaggiare uno* ?

3. È finito il latte / puoi comprare il latte?
È finito il latte, *puoi comprarlo* ?

4. Ho già bevuto un bicchiere di vino / non voglio bere un altro bicchiere.
Ho già bevuto un bicchiere di vino, *non ne voglio bere un altro* .

5. Ti è piaciuta la torta? / Vuoi mangiare un'altra fetta di torta?
Ti è piaciuta la torta? *Vuoi mangiarne un'altra fetta* ?

6. Sono stato a Torino e / ho potuto visitare tutta Torino.
Sono stato a Torino e *l'ho potuta visitare tutta* .

Piazza San Carlo,

16 Trasforma le parti in blu dell'email con i pronomi diretti o *ne*, come nell'esempio.

Re: Arrivo!!!

A: Giulia

Ciao, come stai? Qui tutto bene. Quest'anno devo studiare veramente tanto, ho un sacco di esami da fare e, se voglio finire l'università l'anno prossimo, devo fare sette esami (1) questo mese. La settimana scorsa ho fatto un esame (2) importante, ma non so ancora se ho passato l'esame (3). Nella tua mail chiedevi di Aldo, ma sai che non vedo Aldo (4) da un paio di settimane? Sai chi ho visto ieri in centro? Camilla e Teresa. Erano con noi al corso di inglese, ricordi? Ho incontrato Camilla e Teresa (5) in un negozio: all'inizio non avevano riconosciuto me (6), poi ho salutato Camilla e Teresa (7) e abbiamo cominciato a parlare. Salutano te (8) tanto. Ho il loro numero di telefono. Se vuoi, puoi chiamare Camilla e Teresa (9) o possiamo uscire con loro quando arrivi... Sono proprio contenta che vieni! Aspetto te (10) la prossima settimana.
Un abbraccio, Piera

1. *devo farne sette/ne devo fare sette*
2. *ne ho fatto uno*
3. *l'ho passato*
4. *non lo vedo*
5. *le ho incontrate*
6. *mi avevano riconosciuto*
7. *le ho salutate*
8. *Ti salutano*
9. *le puoi chiamare/puoi chiamarle*
10. *Ti aspetto*

Invia

17 Completa il dialogo con le parole/espressioni date.

vasetti ◆ *etti* ◆ *pacco* ◆ *scatolette* ◆ *in offerta* ◆ *lista della spesa*
al chilo ◆ *quanti ne vuole?* ◆ *che cosa desidera* ◆ *vorrei*

- Buongiorno! Ho visto sulle Pagine Gialle che consegnate la spesa a casa. È vero?
- Certo, signora! Prego, *che cosa desidera* (1)?
- Aspetti, ho fatto la *lista della spesa* (2). Allora: prosciutto...
- Abbiamo quello di Casa Modena *in offerta* (3).
- Ah, e quanto viene?
- 9 euro e 90 *al chilo* (4).
- Bene: ne prendo 2 *etti* (5). Poi *vorrei* (6) degli yogurt bianchi.
- *Quanti ne vuole?* (7)?
- Sei *vasetti* (8), grazie. Poi un *pacco* (9) di biscotti e tre di penne integrali.
- Va bene. Qualcos'altro?
- No, basta così, grazie... Ah, dimenticavo... Silvio, il mio gatto! Tre *scatolette* (10) al pollo e due al pesce! Ecco... Adesso è tutto!
- Bene, allora passiamo all'indirizzo...

18 I negozi. Completa lo schema. Nella colonna verde troverai il nome del più famoso mercato di Venezia.

1. Ci manda lì il dottore.
2. Vende pesce.
3. Vende anche cornetti.
4. Ci trovi l'ultimo best seller.
5. Ci compriamo i pomodori.
6. Ci andiamo anche per San Valentino!

1	F	A	R	M	A	C	I	A		
2	P	E	S	C	I	V	E	N	D	O	L	O
3		P	A	N	E	T	T	E	R	I	A
4		L	I	B	R	E	R	I	A	
5	F	R	U	T	T	I	V	E	N	D	O	L	O
6		F	I	O	R	A	I	O		

19 a Scegli l'alternativa corretta.

1. • Noemi, hai la cartina della città di Napoli?
   • Sì, ce l'ho/ce l'abbiamo.

2. • Ragazzi, avete i libri?
   • No, non ce le abbiamo/ce li abbiamo.

3. • Tommaso, hai lo zucchero, per favore?
   • Sì, ce l'ho/ce l'ha!

4. • Professore, ha i risultati degli esami?
   • No, non ce l'ho/ce li ho ancora.

5. • Emanuela, è bellissima la tua borsa!
   • Grazie! Ce l'abbiamo/Ce l'ho da due anni.

6. • Marco, hai tu i fiori per la nonna?
   • No, ce l'hanno/ce li ha Alessia.

b Completa le risposte, come nell'esempio.

- • C'è una tabaccheria in zona?
- • Sì, ...*ce n'è*........ una proprio all'angolo.

1. • C'è una pizzeria qua vicino?
   - • ....*Ce ne sono*........ tante, ma la pizzeria "Bella Napoli" è la migliore.

2. • C'è il pane?
   - • Sì, ...*ce n'è*........ quasi un chilo.

3. • C'è una buona pasticceria qui vicino?
   - • Sì, ...*ce ne sono*........ due. Una in via Piave e una in via Po.

4. • C'è un teatro in questa città?
   - • Non ....*ce n'è*........ solo uno, ma ....*ce ne sono*........ molti.

5. • Ci sono ancora quelle librerie che vendono libri di seconda mano vicino all'università?
   - • No, non ....*ci sono*........ più. Hanno chiuso.

6. • C'è un fioraio vicino alla stazione? Vorrei prendere un mazzo di rose per Monica.
   - • Sì, ...*ce n'è*........ uno proprio dentro la stazione.

---

20 Guido e Grazia sono al supermercato. Ascolta il dialogo e indica i prodotti che hanno comprato.

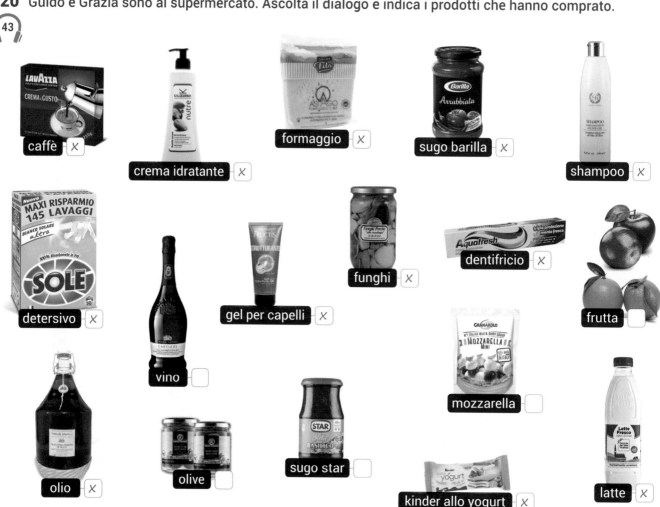

caffè ☒   crema idratante ☒   formaggio ☒   sugo barilla ☒   shampoo ☒

detersivo ☒   vino ☐   gel per capelli ☒   funghi ☒   dentifricio ☒   frutta ☐

olio ☒   olive ☐   sugo star ☐   mozzarella ☐   kinder allo yogurt ☒   latte ☒

21 Completa con *ne*, *ci* e i pronomi diretti.

 Chiara Tumi Ciao ragazzi! Mia zia mi ha regalato due biglietti per il concerto di Tiziano Ferro. A me non piace molto. Voi cosa *..ne..* (1) pensate?

Riccardo Spagnoli
Io *...l'...* (2) ho visto l'anno scorso: bravissimo! Secondo me, devi andare!

Giacomo Poloni
Tiziano Ferro non piace neppure a me. I biglietti, *...li...* (3) puoi vendere on line! �

Antonio Ruzza
Io, di concerti di Tiziano Ferro, *..ne..* (4) ho visti tre. Sono sicuro che, se vai, ti piacerà moltissimo. 😊

Maura Dalto
Io, dei suoi concerti, *..ne..* (5) ho visti almeno 8! È fantastico. Se i biglietti *...li...* (6) regali a me, *...ci...* (7) vado volentieri! 😋

Elena Bergamin
Io, a un suo concerto, *...ci...* (8) sono andata l'anno scorso. C'era anche Carmen Consoli. Anche lei è bravissima! *...L'...* (9) ho sentita a quel concerto e poi ho comprato tutti i suoi vecchi CD!

22 Completa il testo con le preposizioni.

Che differenza c'è tra fare la spesa al mercato vicino *...a..* (1) casa e *..al..* (2) supermercato?

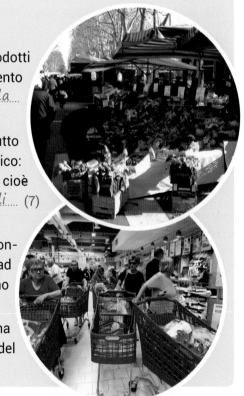

Al mercato impariamo tante cose sulla natura e *...sui...* (3) prodotti locali e di stagione, mentre al supermercato in ogni momento *..dell'..* (4) anno troviamo cibi, frutta e verdura che vengono *...da...* (5) tutto il mondo.

I supermercati sono convenienti, ma è vero anche che, soprattutto *..per la..* (6) frutta e la verdura, il mercato può essere più economico: possiamo confrontare i prezzi; possiamo "tirare sul prezzo", cioè chiedere uno sconto; possiamo anche aspettare l'orario *...di...* (7) chiusura per avere sconti più alti.

Ma qual è il più comodo? Qui vince il supermercato: l'orario è continuato e c'è sempre un grande parcheggio! Per chi lavora, ad esempio, andare al mercato è difficile: molti mercati chiudono prima *..delle..* (8) cinque!

Insomma, il supermercato sembra davvero la scelta migliore, ma possiamo rinunciare alla scelta, *...ai...* (9) colori e ai profumi del mercato di quartiere?

A Completa gli spazi blu con i pronomi diretti e *ne* e gli spazi rossi con le preposizioni corrette.

Ho sempre desiderato un cane! ....*Ne*.... (1) ho chiesto uno .....*ai*.... (2) miei genitori quando ho iniziato le scuole elementari, ma .....*in*.... (3) quel periodo vivevamo in un piccolo appartamento in centro. Quando però siamo andati .....*a*..... (4) vivere in periferia sono riuscito .....*a*..... (5) convincere mio padre! Allora siamo andati al canile della città, dove ci sono molti cani abbandonati o nati per strada, e ....*ne*.... (6) abbiamo scelto uno. ....*L'*.... (7) ho trovato subito: piccolo, marrone, simpatico, Pablo! Pablo ama molto le giornate di sole e ....*le*.... (8) passa a dormire in giardino. Il pomeriggio, quando torno da scuola, ...*mi*.. (9) aspetta sempre sulla porta! Due mesi fa, quando ....*lo/l'*.. (10) abbiamo perso per cinque giorni, eravamo tutti disperati, anche mia sorella che dice sempre che non .....*lo*..... (11) vuole vedere! Insomma, Pablo è importante ...*per*... (12) tutta la nostra famiglia e quando .....*lo*..... (13) vediamo giocare, mangiare o correre, ...*ci*.... (14) fa stare tutti bene!

B Scegli l'alternativa corretta.

1. Quel libro, ..*b*.. (1) aveva regalato mio nonno a mia nonna. Se ..*c*.. (2) prendi, devi stare molto attenta.

   (1) a. la
        b. l'
        c. le

   (2) a. l'
        b. ti
        c. lo

2. Di email ..*a*.. (1) tre, ma non ho ricevuto nessuna risposta perché ..*c*.. (2) a un indirizzo sbagliato.

   (1) a. ne ho spedite
        b. le ho spedite
        c. ne ho spediti

   (2) a. vi ho spediti
        b. ne ho spedite
        c. le ho spedite

3. Maria, che bella la tua gonna! Dove ..*b*.. (1)? ..*c*.. (2) anche in nero?

   (1) a. la compri
        b. l'hai comprata
        c. la compravi

   (2) a. Ce l'abbiamo
        b. Ce lo avevano
        c. Ce l'avevano

4. • Francesco, ..*b*.. (1) che Patrizia ha deciso di fare un master in Canada?
   • Sì, ..*c*.. (2) proprio ieri da sua sorella.

   (1) a. conoscevi
        b. lo sapevi
        c. l'hai conosciuto

   (2) a. lo sapevo
        b. l'ho conosciuto
        c. l'ho saputo

5. • ..*c*.. (1), signora?
   • ..*a*.. (2) Vorrei due chili di arance.

   (1) a. Ti posso aiutare
        b. Vuoi una mano
        c. Ha bisogno di aiuto

   (2) a. Sì, grazie!
        b. Grazie, ma non importa!
        c. Grazie, faccio anche da sola!

6. • ..*b*.. (1) oggi perché domani sono molto occupata.

   • Va bene. A che ora ..*a*.. (2) a prendermi?

   (1)   a. Ho voluto vederti   (2)   a. vuoi passare

         b. Ti voglio vedere   b. sei voluto passare

         c. Ti vorrò vedere   c. vorrai passarmi

7. Ho comprato tre ..*a*.. (1) di marmellata biologica in offerta speciale al ..*c*.. (2).

   (1)   a. vasetti   (2)   a. fruttivendolo

         b. chili   b. pasticceria

         c. pacchetti   c. supermercato

8. • Valeria, abbiamo preso tutto per la festa? Le bibite ..*b*.. (1)?

   • Sì, ..*a*.. (2) due bottiglie: una nella borsa rossa e un'altra in quella verde.

   (1)   a. ce l'ho   (2)   a. ce ne sono

         b. ce le abbiamo   b. non c'è

         c. ce li avete   c. ce n'è

C Risolvi il cruciverba.

Orizzontali

  3. Una cosa che non ti aspetti è una ... .

  4. 100 grammi.

  9. Hai studiato molto, ma non hai passato l'esame. Cosa dici?

10. Lo usiamo per lavare i denti.

Verticali

1. Un tuo amico vince la tombola di Natale. Cosa dici?

2. Lì prendiamo la torta per il compleanno di Antonio.

5. Per fare il pane servono acqua, farina, sale e ... .

6. 1000 grammi.

7. Un tuo amico doveva venire a trovarti, ma alla fine non verrà. Cosa dici?

8. Parte del corpo che "diamo" per offrire aiuto!

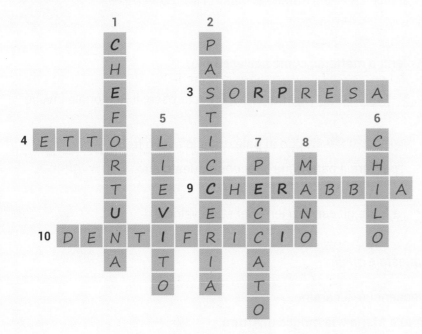

Risposte giuste: .... /40

Giochi

*Tutti gli esercizi sono disponibili
in formato interattivo su www.i-d-e-e.it*

3° test di ricapitolazione

A Completa le frasi con gli articoli e i possessivi.

1. Oddio! Ho dimenticato *le mie* scarpe preferite a Roma!
2. Con Martina e Ennio vengono anche *i loro* colleghi?
3. Dottor Ginetti, ecco *la Sua* insalata!
4. Sono questi *i Suoi* occhiali da sole, signora?
5. Ragazzi, come si chiama *la vostra* gatta?
6. I signori Di Carlo hanno comprato una bella casa per *i loro* figli.
7. Giovanni, abbiamo ricevuto *il tuo* invito, grazie!

.... /7

B Completa con i possessivi. Metti gli articoli solo se è necessario.

1. Non abbiamo potuto chiamare Maria perché abbiamo perso *il suo* numero di telefono.
2. Ha preso l'auto di *suo* padre perché *la sua* moto non parte.
3. Fabrizio, come sta *tua* sorella? L'ho vista ieri al parco con *i suoi* bambini.
4. Valentina, è vero che sabato scorso era *il tuo* compleanno?
5. Lo stipendio di Roberto è molto basso, anche per questo non ama *il suo* lavoro.
6. Dottor Pasquano, è arrivato *Suo* figlio.
7. Noi abbiamo una sorella e un fratello: *nostro* fratello si chiama Marco e *nostra* sorella si chiama Cristina.

.... /10

C Completa con la forma giusta di *volerci* o *metterci*, come nell'esempio.

1. Per andare a Milano in treno *ci vogliono* due ore con il Frecciarossa; il Regionale invece *ci mette* più di tre ore.
2. Non ho aspettato i ragazzi: *ci hanno messo* troppo in palestra e io avevo fretta.
3. Nicola, quanto *ci vuole* per fare il panettone? Secondo questo sito, *ci vogliono* solo tredici ore!
4. Lucia, quanto *ci hai messo* a finire gli esercizi ieri? Sei stata veloce!

.... /6

D Completa con la forma giusta di *questo* e *quello*.

1. Con *questo* freddo è meglio accendere il camino.
2. *Quella* signora seduta accanto a Maria è la moglie di Arturo.
3. Com'è bello *quest'* orologio! È un regalo dei tuoi genitori?

4. Sono veramente comode _queste_ sedie!

5. Vedi _quegli_ studenti vicino alla porta? Sono canadesi.

........./5

E Completa le risposte con il pronome adatto e il verbo al **passato prossimo**.

1. • Hai mai mangiato la caprese?
   • No, non _l'ho_ mai _mangiata_. E tu?

2. • Maria, quanti messaggi hai scritto a Luca?
   • _Ne ho scritti_ solo tre!

3. • Avete preso il regalo per il compleanno di Cesare?
   • Sì, _l'abbiamo preso_ la settimana scorsa!

4. • Hai conosciuto gli amici di Matteo in vacanza?
   • Sì, _li ho conosciuti_. Sono molto simpatici!

5. • Simona, hai visto le scarpe nuove di Giulia? Belle, eh?
   • Certo, _le ho viste_ sabato: lei _le ha messe_ per andare a teatro. Molto belle!

6. • Hai comprato la mozzarella?
   • No, non _l'ho comprata_ perché non era in offerta.

........./7

F Completa le frasi con *mi piace*, *mi piacciono* e *vorrei*.

1. _Mi piace_ Bologna! Secondo me, è una delle città più belle d'Italia.

2. _Mi piace_ andare all'estero, ma quando sono lì _vorrei_ tornare a casa!

3. Non _mi piacciono_ i ragazzi con i capelli lunghi.

4. Cameriere, _vorrei_ un altro caffè, per favore.

5. I formaggi francesi _mi piacciono_ molto!

........./6

G Completa le frasi con la forma giusta dei verbi.

1. incontrare/andare   Tu, prima, _hai incontrato_ Paolo mentre _andavi_ in ufficio?

2. aspettare/andare   Ieri loro ti _hanno aspettato_ un po', ma poi _sono andati_ via.

3. visitare/partire   Durante le vacanze andremo a Firenze e a Siena. Dopo che _avremo visitato_ Firenze, _partiremo_ per Siena.

4. fare/capire   Io ieri non _ho fatto_ i compiti perché non _avevo capito_ che cosa dovevo fare.

5. venire/avere   Domani io non _verrò/vengo_ perché _avrò/ho_ da fare.

6. volere/lavorare   I miei genitori _volevano_ andare in vacanza, ma mio padre _ha lavorato_ tutto il mese di agosto.

7. volere/trovare   Noi _volevamo_ andare al concerto, ma non _abbiamo trovato_ i biglietti.

........./14

Risposte giuste: ..../55

Tutti gli esercizi sono disponibili in formato interattivo su www.i-d-e-e.it

1 Completa con il presente dei verbi riflessivi alla prima persona singolare.

La mattina ......*mi sveglio*...... (1. svegliarsi) sempre presto, ...*mi alzo*...... (2. alzarsi) con calma, ...*mi faccio*...... (3. farsi) la doccia e ......*mi lavo*...... (4. lavarsi) i denti. Poi ......*mi vesto*...... (5. vestirsi) e faccio colazione. Alle otto vado all'università e seguo le lezioni. Il pomeriggio studio e la sera di solito esco con i miei amici: andiamo in pizzeria o al bar. Con loro ......*mi trovo*...... (6. trovarsi) bene e ......*mi diverto*...... (7. divertirsi) molto. Torno a casa sempre verso le undici, sto un po' su Internet e quando vado a letto *mi addormento* (8. addormentarsi) subito.

2 Scegli l'alternativa giusta.

1. Giulia, prima di uscire, si guardava/<u>guardava</u> sempre le previsioni del tempo.
2. Tutte le mattine, prima di uscire, Giulia <u>si guardava</u>/guardava allo specchio.
3. Mario <u>si sveglia</u>/sveglia sempre alle sette.
4. Mario si sveglia/<u>sveglia</u> i suoi bambini alle otto.
5. Francesca <u>si trova</u>/trova molto bene con i nuovi colleghi.
6. Francesca non si trova/<u>trova</u> il suo cappotto rosso. Tu l'hai visto?
7. Come <u>si chiama</u>/chiama quel tuo amico francese?
8. Perché il tuo amico francese non si chiama/<u>chiama</u> il cinema per sapere gli orari degli spettacoli?

3 Completa con i pronomi riflessivi.

1. Io non ..*mi*.. pettino mai.
2. L'autobus ..*si*.. ferma proprio sotto casa mia.
3. Fabio, la domenica ..*ti*.. svegli presto?
4. Stasera portiamo i bambini a casa di Francesca. Da lei ..*si*.. divertono sempre tantissimo!
5. ..*Mi*.. faccio la doccia e poi esco.
6. Lo sai che Riccardo ..*si*.. laureerà a giugno? Finalmente!
7. Come ..*si*.. chiamano i tuoi gatti?
8. Ragazzi, ..*vi*.. ricordate che abbiamo appuntamento alla stazione centrale alle 4, no?

4 Completa con i verbi riflessivi dati.

ti vesti ◆ mi alzo ◆ si mettono ◆ si trova ◆ ci divertiamo
mi arrabbio ◆ vi svegliate ◆ si addormentano

1. _____Vi svegliate_____ sempre tardi, per questo arrivate a lezione a quest'ora!

2. Debora e Fabrizio _____si mettono_____ sempre i soliti vestiti.

3. Basta, Giorgio! Se continui così, _____mi arrabbio_____!

4. Giulio _____si trova_____ in una situazione difficile, dobbiamo aiutarlo.

5. Quando usciamo con loro, _____ci divertiamo_____ sempre tanto: sono molto simpatici.

6. Quando vanno a letto, i bambini _si addormentano_ subito.

7. Perché _____ti vesti_____ in fretta? Sei in ritardo?

8. La mattina, appena _____mi alzo_____, preparo il caffè.

5 Completa con la forma giusta dei verbi riflessivi.

1. Faccio una passeggiata nel parco e dopo _____mi riposo_____ (riposarsi).

2. Matteo non _si addormenta_ (addormentarsi) se la luce è accesa.

3. Sono sicuro che domani alla festa _vi divertirete_ (divertirsi, voi) moltissimo.

4. _Ci ricorderemo_ (Ricordarsi, noi) di questo esame per tutta la vita: è stato veramente molto difficile.

5. I tuoi genitori non _si preoccupano_ (preoccuparsi) se a quest'ora sei ancora fuori?

6. Da giovani, Anna e Lidia _si vestivano_ (vestirsi) sempre alla moda.

7. Quando abitava fuori città, Margherita _si alzava_ (alzarsi) sempre molto presto.

8. Vedrai che Cesare, quando avrà conosciuto meglio i suoi colleghi, _si troverà_ (trovarsi) benissimo a Bari, la sua nuova città.

6 Completa le frasi con i verbi dati. Attenzione: ce ne sono 2 in più!

vi parlate ◆ ci vediamo ◆ si mettono ◆ si sposano ◆ si conoscono
ci guardiamo ◆ ci sentiamo ◆ si lasciano ◆ vi scrivete

1. Marcello e Lisa _si lasciano_ perché non stanno più bene insieme.

2. Oggi le giovani coppie _si sposano_ sempre di meno.

3. Perché tu e Vittoria non _vi parlare_ più? Avete litigato?

4. Mia madre e mio padre _si conoscono_ dai tempi dell'università.

5. Io e Manuel, il mio ex, _ci vediamo_ domani!

6. Io e Fabiana _ci sentiamo_ spesso per telefono.

7. Lo sai che forse Elisabetta e Simone _si mettono_ insieme?

7 Completa le risposte.

1. • È vero che il mese prossimo Alberto si sposerà?
   • Sì, Alberto e Adele ....*si sposeranno*.......... il 23 marzo.

2. • Riccardo, quando ti laureerai?
   • Ormai è sicuro, ...*mi laureerò*.......... a ottobre.

3. • Silvia, ti ricordi di comprare i pantaloni per la montagna?
   • ....*Mi ricordo*.........., stai tranquillo.
   Lo so che domenica abbiamo il trekking!

4. • Paola, ti presento Giulia. Vi conoscete già?
   • No, non ....*ci conosciamo*..........,
   anche se abitiamo nello stesso palazzo.

5. • Eleonora, ti metti la giacca rossa?
   • No, ...*mi metto*.......... la giacca
   nera con il vestito rosso: è più elegante.

6. • Davvero ogni giorno prendete il treno per Milano
   da Vicenza? Ma non vi stancate?
   • Certo che ....*ci stanchiamo*.........., ma non ci piace guidare.

8 Completa i participi passati.

1. Certo che ci siamo sedut*i/e* in metro! Alle 6 di mattina, quando la prendiamo noi, ci sono sempre posti liberi.

2. In albergo non c'era l'acqua calda e Marcella e io non ci siamo fatt*i/e* la doccia!

3. Ragazzi, dove siete? Perché non siete ancora arrivati? Siamo preoccupat*i* per voi!

4. Sara e Francesca si sono incontrat*e* per caso sul treno per Milano.

5. Sono dovuto uscire in fretta e non mi sono fatt*o* neppure la barba.

6. Mi sono stancat*o* perché sono stato molte ore in piedi.

7. Angela si è laureat*a* l'anno scorso.

8. Juan e Pedro si sono trovat*i* molto bene in Italia.

9 Completa con i verbi al tempo giusto, come nell'esempio in blu.

1. Se Lucia non ....*si sbrigherà*.......... (sbrigarsi), arriveremo in ritardo all'appuntamento.

2. Conosco il signor Rossi da molti anni: è molto simpatico e ....*ci diamo*.......... (darsi) del tu.

3. Non appena le ragazze ....*si saranno messe*.......... (mettersi) il cappotto, usciranno a fare una passeggiata al parco.

4. Roberta e Claudio ......*si sono guardati*...... (guardarsi) per qualche minuto: non riuscivano a capire dove si erano già visti.

5. Andrea ......*si è innamorato*...... (innamorarsi) subito di Silvia, non appena l'ha vista.

6. • Perché ci hai messo tanto?
   • ......*Mi sono addormentata*...... (Addormentarsi) sul divano dopo pranzo!

7. Io e Rosa, da piccole, a scuola ......*ci annoiavamo*...... (annoiarsi) così tanto che ......*ci addormentavamo*...... (addormentarsi)!

8. Patrizia, scusa tanto! ......*Mi sono dimenticata/o*...... (Dimenticarsi) dell'appuntamento!

10 Completa le frasi al passato.

1. Ogni volta che vado a raccogliere funghi mi perdo... Anche la settimana scorsa ......*mi sono persa*......!

2. Luisa si trova bene qui a Roma? Ma come ......*si è trovata*...... a Napoli l'anno scorso?

3. Ada si alza spesso durante la notte per bere un bicchiere d'acqua. Ieri notte ......*si è alzata*...... tre volte.

4. Ci fermiamo pochi giorni in Italia perché ......*ci siamo fermati*...... più di una settimana dai miei in Francia.

5. Ogni volta che Lidia e Filippa vanno in palestra si sentono in forma. Ieri però ......*si sono sentite*...... male perché faceva troppo caldo.

6. Di solito, quando mi sveglio sono sempre positivo e tranquillo. Ieri, però, quando ......*mi sono svegliato*......, ero molto agitato.

11 Inserisci nel dialogo le parole e le espressioni date.

che taglia   *molto elegante*   *vetrina*   *lo sconto*   *il camerino*

desidera

è un po' larga

quanto costa

commessa: Buongiorno. ......*Desidera*...... (1)?

Giovanna: Buongiorno, vorrei provare la gonna blu in ......*vetrina*...... (2).

commessa: Ah sì, è molto bella, ...*molto elegante*...... (3)! ......*Che taglia*...... (4) porta?

Giovanna: La 42.

commessa: Prego, ...*il camerino*...... (5) è in fondo a destra. Come va la gonna?

Giovanna: ......*È un po' larga*...... (6)... Posso provare la taglia più piccola?

commessa: Sì, ma ce l'abbiamo solo in rosso.

Giovanna: Mmh... Bella anche in rosso! ......*Quanto costa*...... (7)?

commessa: 65 euro, ma con ......*lo sconto*...... (8), vediamo... 58 euro.

Giovanna: Perfetto, la prendo!

12 Trova i vestiti e gli accessori nel parolone. Con le lettere che restano completa il nome del cappello che portano i signori nella foto!

guanticappottoccinturacalzegiubbottooscarpe
ppantalonigonnapoocchialìsciarpaacamicia

La _c o p p o l a_ è il classico cappello maschile da lavoro, molto popolare sia in America che in Europa agli inizi del ventesimo secolo. In Italia lo vedete in tantissime fotografie del secolo scorso ed è ancora molto diffuso in Sicilia, Calabria e Sardegna.

13 Rispondi alle domande, come negli esempi.

- A che ora devi alzarti per andare a scuola?
- *Mi devo alzare* alle sette. / • *Devo alzarmi* alle otto.

1. • Silvia, da cosa vuoi travestirti per la festa di Carnevale da Mario?
   - _Mi voglio travestire_ da Cleopatra!
   - Non _voglio travestirmi_ ! Preferisco non andare alla festa.

2. • Perché non vi volevate svegliare presto?
   - Non _ci volevamo svegliare_ presto perché eravamo andati a letto tardi.
   - Noi non _volevamo svegliarci_ presto perché eravamo molto stanchi.

3. • Secondo te, mi devo preoccupare per Giorgia?
   - No, non _ti devi preoccupare_ : è una brava ragazza!
   - Secondo me, non _devi preoccuparti_ : andrà tutto bene, vedrai!

4. • A che ora dovete incontrarvi tu e tuo cugino oggi?
   - _Ci dobbiamo incontrare_ alle 4 in piazza Bra.
   - Non _dobbiamo incontrarci_ oggi, ma domani.

5. • Sbaglio o io, te ed Elena ci dobbiamo vedere oggi?
   - Non sbagli, _ci dobbiamo vedere_ alle 9 per fare delle foto.
   - Infatti, _dobbiamo vederci_ per fare la pizza con i bambini!

14 Completa le frasi come nell'esempio. Metti il pronome prima del verbo modale nelle frasi pari (2, 4, 6) e dopo l'infinito nelle frasi dispari (1, 3, 5).

doversi pettinare

Mi sono dovuto pettinare per andare a scuola! / *Ho dovuto pettinarmi* per andare a scuola!

1. volersi svegliare

   Io _ho voluto svegliarmi_ presto per andare a correre.

2. doversi sbrigare

   Noi _ci siamo dovuti sbrigare_ per non perdere il treno.

3. **doversi fermare**

Anna e Luisa *hanno dovuto fermarsi* perché avevano sbagliato strada.

4. **potersi alzare**

Sono stato male e per una settimana non *mi sono potuto alzare* dal letto!

5. **volersi vestire**

I ragazzi *hanno voluto vestirsi* con abiti sportivi anche per la loro laurea.

6. **volersi mettere**

Lia e Francesca *si sono volute mettere* le scarpe con il tacco per la festa di Giulia.

15 Silvia e Gioia fanno spese insieme. Metti in ordine il dialogo.

3 *Silvia:* Beh, è così il modello! Vabbè, andiamo a vedere i vestiti. Ecco. Che te ne pare di questo? Ti piace? Va bene per il matrimonio di Eleonora, no?

7 *Silvia:* Oh, ma oggi non ti piace proprio niente!?

1 *Silvia:* Gioia, la compro questa gonna? Che ne pensi? Ti piace?

5 *Silvia:* Mmh... Dici?

6 *Gioia:* Non so... Forse non mi piace molto nemmeno il colore. Non c'è in grigio?

2 *Gioia:* Veramente... Mi sembra un po' corta... Non c'è più lunga?

4 *Gioia:* Mah... lo trovo un po' troppo... sportivo, per un matrimonio.

16 Trasforma le frasi usando il *si impersonale*.

Giochi

1. Quando uno è in vacanza, spende tanto. → *Quando si è in vacanza si spende tanto.*

2. Uno studia meglio con un amico. → *Si studia meglio con un amico.*

3. Se uno cammina un'ora al giorno, sta bene. → *Se si cammina un'ora al giorno, si sta bene.*

4. In Italia la gente di solito pranza all'una. → *In Italia di solito si pranza all'una.*

5. Al ristorante "Da Pino" uno mangia bene. → *Al ristorante "Da Pino" si mangia bene.*

6. Non scriviamo sui libri della biblioteca. → *Non si scrive sui libri della biblioteca.*

17 a Completa le frasi con la forma impersonale dei verbi dati.

aiutarsi ♦ darsi ♦ presentarsi
sentirsi ♦ svegliarsi ♦ vestirsi

1. In Italia, si dà la mano quando *ci si presenta*.

2. Quando si fa tardi la sera, *ci si sveglia* con difficoltà.

3. Tra amici *ci si dà* del tu.

4. Qualche volta, quando si ha fretta, *ci si veste* male.

5. Tra colleghi *ci si aiuta* sempre.

6. Dopo un lungo viaggio *ci si sente* molto stanchi.

b Cosa si fa in vacanza al mare? Scrivi una breve frase per ogni fotografia. Usa il *si impersonale*.

andare a ballare ◆ riposarsi ◆ uscire con gli amici
giocare con gli altri ◆ rilassarsi in spiaggia ◆ alzarsi tardi

1. *Si esce con gli amici.*
2. *Ci si rilassa in spiaggia.*
3. *Ci si alza tardi.*
4. *Si va a ballare.*
5. *Si gioca con gli altri.*
6. *Ci si riposa.*

18 Riscrivi le frasi, come nell'esempio.

Quando uno sta bene, è felice. → *Quando si sta bene, si è felici.*

1. Con tutti questi social, uno non è mai sicuro di sapere la verità.
Con tutti questi social, non si è mai sicuri di sapere la verità.

2. Dopo una bella passeggiata, mi sento più forte.
Dopo una bella passeggiata, ci si sente più forti.

3. Quando uno lavora troppo, si stanca.
Quando si lavora troppo, ci si stanca.

4. Se uno guarda un film di Verdone, ride!
Se si guarda un film di Verdone, si ride!

5. Quando sono nervoso, non riesco a dormire.
Quando si è nervosi, non si riesce a dormire.

19 Ricostruisci le frasi. Comincia con la parola blu.

1. tanto | preoccuparsi | per | è | inutile | niente
È inutile preoccuparsi tanto per niente .

2. è | questo | impossibile | lavoro | prima | finire | di | domani.
È impossibile finire questo lavoro prima di domani .

3. leggere | per fare | questo | è | necessario | libro | l'esame
Per fare l'esame è necessario leggere questo libro   .

4. per trovare | vestiti | provare i | giusta | bisogna | la taglia
Per trovare la taglia giusta bisogna provare i vestiti   .

5. possibile | sconto | avere | è | un piccolo
È possibile avere un piccolo sconto   ?

20 Trova la parola estranea.

1. <u>stile</u> | lana | cotone | seta
2. classico | sportivo | moderno | <u>tessuto</u>
3. prezzo | saldi | sconto | <u>cappotto</u>
4. a fiori | a righe | blu | <u>stivali</u>
5. stretto | <u>indossare</u> | largo | corto
6. borsa | <u>jeans</u> | cintura | occhiali da sole

21 Ascolta il dialogo e scegli l'alternativa corretta.

47

1. Il cliente cerca
   a. un paio di occhiali
   b. due paia di occhiali
   c. degli occhiali piccoli

2. Il ragazzo non compra il primo modello perché
   a. ha solo lenti da miopia
   b. la montatura è troppo leggera
   c. la montatura non è leggera

3. Il modello di Armani che prova costa
   a. 240 €, senza lo sconto
   b. 240 €, senza le lenti
   c. 270 €, comprese le lenti

4. Il ragazzo non compra i Dolce&Gabbana perché
   a. il prezzo è alto
   b. non gli piacciono
   c. si preoccupa della qualità

22 Completa con la forma giusta dei verbi (spazi blu) e le preposizioni (spazi verdi).

L'operaio Arturo Massolari lavorava ....*di*.... (1) notte e finiva ....*alle*.... (2) sei. Durante la bella stagione tornava a casa ....*in*.... (3) bicicletta; in inverno, invece, in tram. Arrivava a casa ....*tra*.... (4) le sei e trequarti e le sette. Più o meno quando arrivava, ...*si svegliava*....... (5. svegliarsi) sua moglie, Elide. La moglie ....*si alzava*......... (6. alzarsi) e andava in cucina, dove Arturo aveva già preparato il caffè. A volte lui entrava in camera e la svegliava, ...*con*.... (7) la tazzina del caffè. A quell'ora, la casa era ancora un po' fredda, ma Elide ....*si spogliava*....... (8. spogliarsi) e ....*si lavava*......... (9. lavarsi). Poi andava ....*in*.... (10) camera e ....*si vestiva*....... (11. vestirsi). Quando era pronta, ...*si metteva*....... (12. mettersi) il cappotto, apriva la porta e lei e Arturo ....*si davano*......... (13. darsi) un bacio.

adattato da Gli amori difficili, I. Calvino

23 Shopping online. Ci sono i saldi e Michela vuole comprare un po' di cose. Aiutala a scegliere i capi giusti. Leggi la lista e fai l'abbinamento.

LISTA:
a. pullover di cotone
b. cappotto a tinta unita
c. gonna a righe
d. pantaloni corti marroni
e. scarpe con il tacco
f. vestito di seta

A Completa con la forma corretta dei verbi.

Come ogni giorno, anche oggi Maddalena _si è svegliata_ (1. svegliarsi) alle 7.30, _si è alzata_ (2. alzarsi) subito ed è andata in cucina a fare colazione. Dopo _si è fatta_ (3. farsi) la doccia e ha iniziato a _prepararsi_ (4. prepararsi). Oggi, però, è una giornata speciale perché Maddalena _si incontra/erà_ (5. incontrarsi) con Riccardo. Non _si vedono_ (6. vedersi) da un anno, però negli ultimi mesi _si sono sentiti_ (7. sentirsi) spesso su Facebook. Maddalena guarda tutti i suoi vestiti, ma niente sembra adatto per l'appuntamento... Alla fine, già in ritardo, _si veste_ (8. vestirsi) in fretta: _si mette_ (9. mettersi) i soliti jeans, il suo maglione preferito ed esce di casa senza prendere il regalo che aveva comprato per Riccardo.

B Scegli l'alternativa corretta.

1. Stamattina _a_ (1) tardi perché ieri sera sono andato in discoteca con Gianfranco: _c_ (2) un sacco!

   (1) a. mi sono alzato   (2) a. ci divertivamo

        b. mi ero alzato   b. ci siamo divertite

        c. mi alzavo   c. ci siamo divertiti

2. Anche se _b_ (1) da un anno, Marisa e Mario continuano a _c_ (2) come due vecchi amici.

   (1) a. si lasceranno   (2) a. vederli

        b. si sono lasciati   b. vederci

        c. si lasciavano   c. vedersi

3. Ogni volta che Gianni e io ci vedevamo non _a_ (1) perché eravamo in ritardo e non _c_ (2).

   (1) a. ci salutavamo   (2) a. ci potremo fermare

        b. ci salutiamo   b. ci possiamo fermare

        c. ci saluteremo   c. ci potevamo fermare

4. Per favore, Francesco! Oggi non _a_ (1) perché _c_ (2) di buon umore.

   (1) a. voglio arrabbiarmi   (2) a. mi ero svegliata

        b. mi voglio arrabbiato   b. mi sveglio

        c. volere arrabbiarmi   c. mi sono svegliata

5. _b_ (1) così elegante perché _b_ (2) con mio suocero.

   (1) a. Avevo dovuto vestire   (2) a. ti devi incontrare

        b. Mi sono dovuto vestire   b. devo incontrarmi

        c. Sono dovutomi vestire   c. si dovrà incontrare

6. ● Scusi, _c_ (1) questi pantaloni?

   ● _a_ (2)

   (1) a. dov'è il camerino   (2) a. Certo. Che taglia porta?

        b. quanto costano   b. Certo, c'è lo sconto.

        c. posso provare   c. Certo, non ci sono in nero.

7. • Ho comprato questo nuovo cappotto. ..*a*.. (1) Ti piace?

   • Sì, anche se ..*b*.. (2) troppo lungo.

   (1) a. Che ne pensi?   (2) a. secondo te

        b. Secondo te?   b. lo trovo un po'

        c. D'accordo?   c. non lo vedo

8. In quel ristorante ..*b*.. (1) molto bene, ma ..*a*.. (2) prenotare un mese prima.

   (1) a. ci si mangia   (2) a. è necessario

        b. si mangia   b. è possibile

        c. uno mangio   c. è bello

C Risolvi il cruciverba.

Risposte giuste: .... /35

Giochi

Che c'è stasera in TV?

Tutti gli esercizi sono disponibili
in formato interattivo su *www.i-d-e-e.it*

Quaderno degli esercizi

1 Fai l'abbinamento.

1. Se ti piace questo vestito, (*f*)
2. Fra poco verrà Antonio (*c*)
3. Signor direttore, (*h*)
4. Amiamo moltissimo la musica (*d*)
5. Franco, Camilla, (*a*)
6. Quando mi scrive Luca... (*b*)
7. Quando vado da Giovanna, (*e*)
8. Se vedi Umberto ed Emilio, (*g*)

a. vi piacciono i documentari storici?
b. divento nervosa!
c. e gli chiederemo di accompagnarci con l'auto.
d. e ci piace soprattutto andare ai concerti.
e. le chiedo i suoi appunti di storia.
f. puoi prenderlo.
g. gli dici che voglio parlare con loro?
h. Le telefono appena arrivo in ufficio.

2 Completa con il pronome indiretto e il verbo, come nell'esempio.

1. Professore, *ci spiega* (spiega a noi) i pronomi indiretti?
2. Ho saputo che Aldo ha cambiato lavoro: stasera *gli telefonerò* (telefonerò ad Aldo) per saperne di più.
3. Signora, se questa gonna non *Le piace* (piace a Lei), ne abbiamo una a fiori molto bella.
4. Ho letto questo libro e *mi è sembrato* (a me è sembrato) molto interessante.
5. Tullio, *ti lascio* (lascio a te) le chiavi sul tavolo della cucina!
6. Domani è il compleanno di Elena: cosa *le regali* (regali a Elena)?
7. Pronto, Chiara? Mi senti? *Vi spedirò* (spedirò a te e alla mamma) il pacco nei prossimi giorni.
8. Stasera, al bar, vedrò Sara e Gioia e *gli chiederò* (chiederò a Sara e a Gioia) come è andato il loro primo giorno di lavoro.

3 Scegli l'alternativa corretta.

1. Quando verrete, ti/<u>vi</u>/ci faremo vedere la nostra città.
2. Ragazzi, anche se sarete in vacanza, Le/gli/<u>ci</u> promettete di mandare almeno un messaggio al giorno? Lo sapete che io e la mamma ci preoccupiamo!
3. Marco non guarda la TV con noi perché non <u>gli</u>/ti/mi piacciono le soap opera!
4. Anna, Le/<u>ti</u>/le piace il mio nuovo cappotto?
5. Signora Rossetti, <u>Le</u>/ci/ti dispiace telefonare più tardi?
6. Scusi, di questi pantaloni c'è una taglia più grande? Ti/Le/<u>Mi</u> sembrano un po' stretti.
7. Domani è il compleanno di Luisa: gli/<u>le</u>/ti farò gli auguri.
8. Ragazzi, ti/<u>mi</u>/vi dispiace ma è finita anche l'aranciata. Da bere c'è solo l'acqua.

4 Completa con i pronomi indiretti.

1. Il cinema? Non _ci_ piace molto, preferiamo andare a teatro.
2. Mario, _ti_ risponderò appena troverò un po' di tempo libero.
3. Signor Rossi, _Le_ dispiace se apro la finestra?
4. Ragazzi, quando _vi_ telefonerà il direttore per confermare l'appuntamento?
5. Non _mi_ interessa vestirmi alla moda, anche se i capi di abbigliamento di alcuni stilisti italiani sono veramente belli.

6. È da tanto che non sentiamo Angela: domani _le_ scriviamo una mail.
7. La settimana prossima Maria e Piero faranno una festa: _gli_ dobbiamo comprare un regalo.
8. Gianni non ha telefonato: forse non _gli_ interessa venire in gita con noi.

5 Completa il racconto con i pronomi diretti (spazi rossi) e indiretti (spazi blu).

Ieri ho visto Paolo, ti ricordi, il nostro compagno del liceo. Non lo vedevo da anni! All'inizio non _mi_ (1) aveva riconosciuto, poi _l'_ (2) ho chiamato e abbiamo chiacchierato un po'. _Mi_ (3) ha raccontato che da più di due anni vive in Francia ed è qui solo per le vacanze. Dice che _gli_ (4) piace vivere lì, ma vorrebbe tornare in Italia. in Francia, però, ha conosciuto una ragazza, Natalie. _Le_ (5) parla spesso del nostro Paese e quando torna in Francia, dopo le vacanze, pensa di chieder_le_ (6) di tornare qui insieme a lui. _Mi_ (7) ha anche detto che possiamo andare a trovar_lo_ (8) quando vogliamo!

6 Completa con il pronome indiretto e il verbo al passato prossimo.

1. Stefania, perché non _ci hai detto_ (dire a noi) che volevi partecipare al talent show del sabato sera? Ti avremmo aiutata!
2. Non _ti ho inviato_ (inviare a te) le foto, perché ho perso il cellulare.

3. Quando Luigi e Giovanni sono arrivati, _gli ho presentato_ (presentare a loro) i miei amici.
4. Quella vacanza _vi ha fatto_ (fare a voi) veramente bene.
5. Maria _mi ha proposto_ (proporre a me) di andare ad abitare da lei.
6. Ho visto Maurizio, ma non _gli ho detto_ (dire a lui) che la settimana prossima parto per gli Stati Uniti.
7. Hai parlato con Tiziana? E _le hai chiesto_ (chiedere a lei) se è libera sabato pomeriggio?
8. Abbiamo incontrato i signori Dardano in centro e _ci hanno offerto_ (offrire a noi) un caffè.

7 Completa con il pronome diretto o indiretto e il verbo al passato prossimo.

1. L'email al direttore? Certo, _l'ho mandata_ (ho mandato l'email) una settimana fa.

2. Ho ricevuto un messaggio da Valerio, ma non _gli ho risposto_ (ho risposto a lui).

3. Monica, la trasmissione di ieri sera _ti è piaciuta_ (è piaciuta a te)?

4. Gli zii _ci hanno fatto_ (hanno fatto a noi) gli auguri per telefono.

5. Le lasagne da Pino sono buonissime! _Le abbiamo mangiate_ (abbiamo mangiato le lasagne) sabato scorso.

6. Ragazze, _vi sono arrivati_ (sono arrivati a voi) i file? _Li ho inviati_ (ho inviato i file) ieri.

7. Sono arrivato tardi e non _mi hanno lasciato_ (hanno lasciato me) entrare anche se lo spettacolo era iniziato da poco.

8. Signora, come _Le è sembrato_ (è sembrato a Lei) il nuovo vicino? _Lo trova_ (trova il vicino) simpatico?

Pasta all'amatriciana

8 Completa con il verbo *piacere* al passato prossimo.

1. La tua amatriciana era veramente buona. Mi _è piaciuta_ tanto!

2. Siamo andati a vedere delle macchine elettriche. Ci _sono piaciute_ molto, ne prenderemo una.

3. Vi _sono piaciuti_ i biscotti? Ne abbiamo comprato un altro pacco.

4. Ho regalato a mio fratello dei libri, ma mi ha detto che non gli _sono piaciuti_ .

5. Ti _è piaciuto_ lo spettacolo ieri sera? Io l'ho trovato interessante!

6. Non mi _è piaciuta_ la festa di Ezio: c'era poca gente e non mi sono divertito per niente.

9 Rispondi come negli esempi: metti il pronome (diretto, indiretto, *ci* e *ne*) prima del modale nelle frasi dispari e dopo l'infinito nelle frasi pari. Vedi anche l'Approfondimento grammaticale a pag. 214.

• Vuoi assaggiare questo salame? • Sì, *lo voglio assaggiare.* / • Sì, *voglio assaggiarlo.*

1. • Potete dare questo libro a Lia? • No, ma _lo possiamo dare_ a sua cugina.

2. • Devi scegliere un vestito da sera? • Sì, _devo sceglierne_ uno nero.

3. • Cosa vuoi dire a Giorgio? • _Gli voglio dire_ che ha passato l'esame.

4. • Puoi aiutarmi con la ricerca di storia?
   • Mi dispiace, non _posso aiutarti_, ho da fare.

5. • A che ora devi prendere il treno? • _Lo devo prendere_ alle 18.

6. • Perché non vuoi invitare Laura? • Non _voglio invitarla_ perché mi è antipatica.

7. • Che documenti ci devi mandare per il viaggio? • _Vi devo mandare_ la carta d'imbarco.

8. • Vuoi restare a Milano? • Certo che _voglio restarci_ : è bellissima!

10 Completa i dialoghi con le espressioni date.

mi sembrano ✦ *mi presti* ✦ *mi pare giusto*
mi dai una mano ✦ *puoi farmi un favore*

● Tesoro, *mi dai una mano* (1)? Preparo la pizza per la festa di Marta...

● La pizza? Perché la prepari tu se la festa è di Marta?

● Perché abbiamo deciso che ognuno porta qualcosa!

● Ah, ok, *mi pare giusto* (2)!

● Valerio, ciao, sono io, Chiara.

● Ehi Chiara!

● Senti, *mi presti* (3) i tuoi appunti di geografia? Ho quelli di Lorenzo, ma non *mi sembrano* (4) completi...

● Certo, non c'è problema. Se vuoi, ci possiamo incontrare domani all'università.

● Ok! Ah, senti... *Puoi farmi un favore* (5)?

● Certo!

● Non dire niente a Lorenzo...

11 Completa il dialogo con le parole date.

intrattenimento ✦ *quiz televisivi* ✦ *documentario* ✦ *spettatori*
onda ✦ *fiction* ✦ *l'abbonamento* ✦ *puntate* ✦ *trasmissioni*

● Che fai? Guardi la TV?

● Sì, è per il corso di italiano: devo leggere la guida ai programmi tv... Ma non capisco molto...

● Dai, ti do una mano... Anche se da quando ho fatto *l'abbonamento* (1) a *Timvision* non guardo più la tv... Vedo solo le *trasmissioni* (2) sportive... Comunque cos'è che non capisci?

● Beh, stasera, ad esempio, va in *onda* (3) *Le Iene*... Ma cos'è? Un documentario?

● Ahaha! No, è un programma di *intrattenimento* (4) molto intelligente!

● Ah! Poi... vediamo... su Canale 5 dice "Mike Bongiorno", ma non è un film, è una *fiction* (5). Cioè?

● È una specie di serie tv, ma più breve, di solito sono solo due *puntate* (6)... Anche questa vale la pena vederla: Mike Bongiorno è stato uno dei più grandi conduttori di *quiz televisivi* (7) del ventesimo secolo e ha avuto una vita piena di avventure!

● Allora guardiamo questo stasera!

● Eh no, guarda, stasera c'è un *documentario* (8) di Alberto Angela! Mostra sempre i posti più belli d'Italia e lo seguono milioni di *spettatori* (9)! Guardiamo questo! Accidenti! Altro che film in streaming... Alla fine la TV non è male!

12 Completa l'imperativo alla 2ª persona singolare e scopri le 8 regole per avere una vita sana.

1. Mangi *a* molta frutta e verdura.
2. Bev *i* almeno un litro e mezzo di acqua al giorno.
3. Dorm *i* almeno otto ore al giorno.
4. Cerc *a* di fare passeggiate nella natura.
5. Scegl *i* uno sport da praticare.

Una mela al giorno toglie il medico di torno

6. Cammin_a_ almeno quaranta minuti al giorno.

7. Evit_a_ di fumare e bere alcolici.

8. Rid_i_ spesso, fa bene!

13 Completa le frasi con l'imperativo.

1. Piero, se vai alla posta, per favore, _spedisci_ (spedire) questo pacco a mia madre!

2. Ragazzi, _entrate_ (entrare), vi aspettavamo!

3. Lavorate troppo! _Prendete_ (Prendere) qualche giorno di ferie!

4. _Andiamo_ (Andare, noi) a fare un giro al mare!

5. Silvia e Maria, _guardate_ (guardare) questo video su YouTube, è veramente divertente!

6. Non possiamo stare sempre in casa, _usciamo_ (uscire) un po'!

7. Roberto, questa sera _vieni_ (venire) a cena da noi!

8. Teresa, Giulio, _aspettate_ (aspettare)! Vengo con voi.

Giochi

14 Completa le frasi con gli imperativi dati.

ascoltate

spegnere

prendiamo

uscire

abbiate

aiutiamo

1. Non _abbiate_ paura!

2. Non _aiutiamo_ nessuno!

3. Mauro, non _uscire_ senza cappotto!

4. Giulio, per favore, non _spegnere_ la TV!

5. Non _prendiamo_ l'auto! Andiamo in metro!

6. Ragazzi, non _ascoltate_ sempre questa musica!

15 Completa con l'imperativo dei verbi riflessivi.

1. Ragazzi, _ricordatevi_ (ricordarsi) di comprare il pane!

2. Andate in vacanza? _Divertitevi_ (Divertirsi)!

3. Devi lavorare tutto il giorno? Non _stancarti/ti stancare_ (stancarsi) troppo!

4. Bambini, _lavatevi_ (lavarsi) i denti e andate a letto!

5. È tutto il giorno che stai in giro: _riposati_ (riposarsi) un po'!

6. Simona, guarda, c'è una sedia, _siediti_ (sedersi) lì.

16 Rispondi alle domande, come nell'esempio.

• Esco, devo comprare il caffè? • Sì, _compralo_.

1. • Quanti inviti spediamo?
   • _Spediamone_ duecento.

2. • Dove ti aspettiamo?
   • _Aspettatemi_ al bar!

3. • Dove posso lasciare la borsa?
   • _Lasciala_ sul divano!

4. • A che ora vi chiamo?
   • _Chiamaci_ alle nove!

5. • Posso guardare questa trasmissione?
   • Certo, _guardala_ pure!

6. • Quanto latte compriamo?
   • _Compriamone_ due litri!

17 Completa con l'imperativo e il pronome indiretto.

1. • Non so cosa mandare agli zii per Natale...
   • _____*Mandagli*_____ un biglietto di auguri e due vasetti di questo miele biologico.

2. Cosa potete regalare a vostro figlio? Beh, _____*regalategli*_____ una vacanza-studio!

3. • Cosa offriamo a Giacomo?
   • _____*Offriamogli*_____ un aperitivo!

4. • Non so cosa comprare a mia moglie.
   • _____*Comprale*_____ un bel mazzo di fiori!

5. • Vi telefono in ufficio?
   • No, _____*telefonaci*_____ a casa!

6. • Quando devo rispondere ai nostri clienti, oggi?
   • No, _____*rispondigli*_____ domani!

7. • Chi parlerà al direttore?
   • _____*Parlagli*_____ tu!

8. • Cosa portiamo a Ornella per la sua festa?
   • *Portiamole/Portatele* una torta!

18 L'oroscopo. Completa con la seconda persona plurale dell'imperativo, come nell'esempio in blu.

Dedicarsi ♦ riposarsi ♦ dimenticarsi ♦ Mettersi ♦ Avere ♦ prendersi
iscriversi ♦ Essere ♦ Calmarsi ♦ sentirsi ♦ fargli ♦ mandargli

♈ Lavorate troppo. Trovate un po' di tempo per voi e ___*riposatevi*___ (1)!

♉ Avrete successo nel lavoro. ___*Abbiate*___ (2) pazienza e tutto andrà bene!

♊ Su, dai! Non ___*sentitevi*___ (3) tristi! Avete molti amici che vi vogliono bene.

♋ Presto sarà il compleanno di un vostro amico. Se volete vederlo contento, ___*fategli*___ (4) un bel regalo!

♌ Vi sentite pieni di energia: ___*iscrivetevi*___ (5) in palestra o a un corso di lingua!

♍ Se farete un viaggio, non ___*dimenticatevi*___ (6) di condividere qualche foto con gli amici!

♎ I vostri amici aspettano vostre notizie: ___*mandategli*___ (7) un messaggio!

♏ Attenzione alla salute! ___*Dedicatevi*___ (8) allo sport e alle attività che vi rilassano!

♐ Vi inviteranno a una festa. ___*Mettetevi*___ (9) quel vestito che vi sta tanto bene!

♑ Siete un po' nervosi, cercate di essere più tranquilli, ___*calmatevi*___ (10) o gli altri inizieranno a stancarsi di voi!

♒ Avete lavorato molto: ___*prendetevi*___ (11) una vacanza!

♓ Passate un periodo difficile. La situazione cambierà, ___*siate*___ (12) positivi!

19 Completa con l'imperativo dei verbi irregolari.

1. Mario, ___*sii*___ (essere) gentile, cambia canale! Questa trasmissione è proprio noiosa!
2. Perché non parli? ___*Di'*___ (Dire) qualcosa!
3. Quando guidi, ___*fa'*___ (fare) attenzione ai motorini!
4. Piera, ___*sta'*___ (stare) tranquilla: l'esame andrà benissimo.
5. Dai, Luca, ___*abbi*___ (avere) pazienza! Finisce la pubblicità e comincia il film.
6. Luisa, ___*di'*___ (dire) ai bambini di non stare troppo al computer!
7. Matteo, per favore, ___*va'*___ (andare) in cucina e ___*da'*___ (dare) una mano a tuo fratello!

20 Completa le frasi, come nell'esempio. Vedi anche l'Approfondimento grammaticale a pag. 216.

Se non sei d'accordo, _dimmi_ (dire a me) la verità!

1. Al supermercato ci sono andato io ieri, oggi _vacci_ (andare al supermercato) tu!

2. Riccardo, per favore, _dagli_ (dare al nonno) quel libro che è sul tavolo!

3. Vincenza, basta fare zapping, _fammi_ (fare a me) vedere il talk show!

4. Filippo, _stammi_ (stare a me) a sentire: non parlare sempre tu!

5. Paolo, _dacci_ (dare a noi) una mano a finire questo lavoro.

6. Elda, su, _dille_ (dire a tua madre) che cosa hai!

21 Stasera Simone e Andrea andranno al cinema insieme. Completa il messaggio con le preposizioni (spazi rossi) e le espressioni date (spazi blu).

Simone! Sono contento _di_ (1) vederti questa sera! Allora... per arrivare a casa mia prendi l'autobus 60 _in/da_ (2) piazza Indipendenza e scendi _alla quarta fermata_ (3), in via Mazzini. Dopo _va' dritto_ (4) fino all'incrocio con Corso Europa e lì _gira a destra_ (5) in via Ponzi. Al numero 59, accanto _alla_ (6) tabaccheria, c'è casa mia. Io esco _dall'_ (7) ufficio alle sette e sarò a casa verso le sette e mezza. Se arrivi prima _di_ (8) me, aspettami! Il cinema non è lontano e ci possiamo _andare a piedi_ (9). Ci vediamo dopo!

> andare a piedi
>
> va' dritto
>
> alla quarta fermata
>
> gira a destra

22 Streaming o TV classica? Completa il testo: scegli una delle alternative (A, B, C).

Il mercato italiano dell' _A_ (1) è cambiato con l'arrivo di Netflix: da allora _B_ (2) molte piattaforme, anche italiane, di TV *on demand* e la TV tradizionale _A_ (3) dal 16 al 30% degli spettatori.
Questi dati parlano _C_ (4) un cambiamento che non riguarda solo _A_ (5) del pubblico: è vero che i giovani non _B_ (6) più con i soliti programmi, ma anche _B_ (7) più anziani, tra i 45 e i 65 anni, più interessati all'_C_ (8), hanno scoperto le meraviglie dell'*on demand*. Ma che cosa ha fatto cambiare idea agli italiani? Innanzitutto i contenuti sono sempre disponibili, anche in "mobilità", cioè quando non _A_ (9) a casa; poi online non c'è il fastidio della pubblicità; infine la tecnologia: internet è sempre più _B_ (10)! Insomma, _B_ (11): come abbiamo lasciato le cassette (_C_ (12) ricordate?!) per i CD e come il cinema ha preso il posto dell'Opera, così lasciamo la TV classica per lo streaming!

	A	B	C
1.	intrattenimento	moda	attualità
2.	nascevano	sono nate	nascono
3.	ha perso	ha vinto	ha corso
4.	a	per	di
5.	l'età	la paura	la cultura
6.	ci si diverte	si divertono	divertiranno
7.	i conduttori	gli spettatori	le trasmissioni
8.	documentari	storia	attualità
9.	si è	andiamo	sono
10.	utile	veloce	lento
11.	è difficile	è chiaro	bisogna
12.	ci	li	le

23 Completa con le preposizioni.

Tra una settimana finirò ...*di*... (1) lavorare e andrò ...*in*... (2) vacanza con la mia famiglia. Partiremo ...*per*... (3) il mare: andremo ...*in*... (4) un piccolo paese della Liguria. Come ...*al*... (5) solito, partiremo la mattina prima ...*delle*... (6) sei, per non trovare traffico; poi, verso le otto ci fermeremo ...*a*... (7) fare colazione all'*Autogrill*. ...*All'*... (8) una saremo arrivati, credo. Andremo subito ...*a*... (9) mangiare del pesce al ristorante , poi all'appartamento ...*per*... (10) lasciare tutte le nostre cose e poi, finalmente, andremo ...*a*... (11) fare il bagno! Non vedo l'ora!

24 a Ascolta il dialogo e indica le affermazioni presenti.

53
1. ☐ La ragazza chiede all'insegnante alcune riviste in prestito.
2. ☒ La ragazza chiede dei consigli su cosa leggere.
3. ☒ L'insegnante trova l'idea ottima.
4. ☐ Il professore lavora per un settimanale.
5. ☒ Secondo l'insegnante, la ragazza non riuscirà a capire tutto.
6. ☐ L'insegnante le consiglia solo riviste che parlano di politica.

b Ascolta di nuovo il dialogo. Di che cosa parlano le riviste? Fai l'abbinamento come negli esempi in blu. Attenzione: alcuni contenuti vanno bene per più riviste.

Contenuti
a. attualità, TV
b. moda, costume, attualità
c. attualità, politica, economia
d. gossip, personaggi famosi, attualità

7 b

4 d

8 b

1 c

5 d

9 b

2 c

6 d

10 a

3 c

A Completa con i pronomi indiretti.

Fabrizio oggi ha litigato con la sua migliore amica, Stefania, e questo ...*gli*... (1) dispiace moltissimo. Quando torna a casa, sua madre non ...*gli*... (2) chiede niente, anche se lo vede triste. Fabrizio si siede sul divano e legge una rivista che ...*gli*... (3) ha prestato Mauro. Tra le lettere alla direttrice, una gli sembra interessante: un ragazzo ...*le*... (4) scrive che ha litigato con alcuni amici perché ...*gli*... (5) aveva raccontato delle cose non vere... Proprio quello che aveva fatto lui a Stefania: non ...*le*... (6) aveva detto la verità! Allora prende il cellulare per telefonar...*le*... (7) e trova un messaggio di Stefania che ...*gli*... (8) chiede di uscire!

B Scegli l'alternativa corretta.

1. Signora Minni, ho deciso di ...*b*.. (1) perché non ho ricevuto nessuna risposta all'email che ..*b*.. (2).
   - (1) a. telefonarti
     - b. telefonarLe
     - c. telefonarci
   - (2) a. aveva inviatoLe
     - b. Le avevo inviato
     - c. La aveva inviato

2. Il film che abbiamo visto ..*a*.. (1) tanto, ma ..*c*.. (2) di avere un libro con una trama simile.
   - (1) a. mi è piaciuto
     - b. mi è piaciuta
     - c. ci siamo piaciuti
   - (2) a. ti sembrava
     - b. gli è sembrato
     - c. mi sembra

3. Ragazzi, ..*c*.. (1) una mano, per favore? ..*a*.. (2) giusto ridere e scherzare mentre io lavoro?
   - (1) a. possono dare
     - b. ti possiamo dare
     - c. potete darmi
   - (2) a. Vi pare
     - b. Ti pare
     - c. Si pare

4. Luisa, hai visto ieri la prima ..*a*.. (1) del nuovo ..*b*.. (2) della domenica? Cosa ne pensi?
   - (1) a. puntata
     - b. rete
     - c. serie
   - (2) a. telegiornale
     - b. programma
     - c. telecomando

5. Teresa, ..*c*.. (1) sempre sui social, ..*b*.. (2) il libro che ..*b*.. (3) ho regalato.
   - (1) a. non stai
     - b. non state
     - c. non stare
   - (2) a. legge
     - b. leggi
     - c. leggere
   - (3) a. le
     - b. ti
     - c. ci

6. • Vado al supermercato, devo comprare della frutta?
   - • No, ..*a*.. (1), ..*b*.. (2) prima quella che abbiamo!
   - (1) a. non la prendere
     - b. non li prendi
     - c. non prenderlo
   - (2) a. finiamone
     - b. finiamo
     - c. finiamole

7. ..a.. (1) la verità, ..c.. (2) nel dubbio.

   (1) a. Dimmi   (2) a. non mi lascia

         b. Dire   b. non mi lasci

         c. Non dirmi   c. non lasciarmi

8. ..b.. (1) come vuoi, io ti consiglio di prendere ..c.. (2).

   (1) a. Facci   (2) a. sempre dritto

         b. Fa'   b. al primo incrocio

         c. Fatti   c. la prima a destra

9. Gabriele ci ..b.. (1) il suo telecomando, ma non funziona con il nostro ..c.. (2).

   (1) a. ha prestata   (2) a. programma

         b. ha prestato   b. conduttore

         c. ha prestati   c. televisore

C Risolvi il cruciverba.

Orizzontali

5. Quello di *Nuovissimo Progetto italiano* si chiama "Lo so io".

6. Lo guardiamo per sapere cosa succede in Italia e nel mondo.

7. Sinonimo di rete televisiva.

8. Genere televisivo che basa la storia su fatti e personaggi reali o di fantasia.

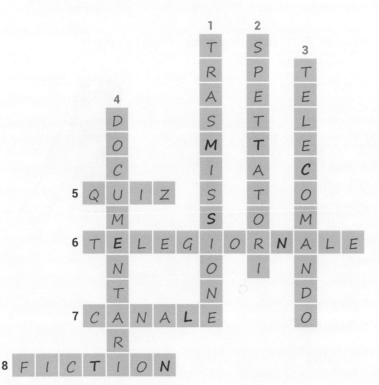

Verticali

1. Sinonimo di programma televisivo.

2. Le persone che seguono un programma alla televisione.

3. Serve a fare zapping.

4. Sono molto famosi quelli di Alberto Angela sui luoghi più belli d'Italia.

Risposte giuste: .... /35

Giochi

A ritmo di musica

Unità 11

Quaderno degli esercizi

1 Scegli l'alternativa corretta.

1. Comprerei/<u>Compreremmo</u> anche noi un biglietto per il concerto, ma è troppo caro.

2. Ti <u>accompagnerei</u>/accompagnereste volentieri, ma veramente non posso.

3. Chi crederesti/<u>crederebbe</u> mai alla sua storia? Non dice mai la verità!

4. Secondo te, questa canzone potresti/<u>potrebbe</u> diventare un successo?

5. <u>Friggeremmo</u>/Friggereste le patate, ma abbiamo finito l'olio.

6. Silvia mi metterei/<u>si metterebbe</u> il vestito giallo per la laurea, ma è troppo corto!

7. Lo so: <u>vi fermereste</u>/si fermerebbero ancora qualche giorno, ma per voi le vacanze sono finite.

8. Signora, Le <u>dispiacerebbe</u>/dispiacereste lasciare aperta la porta?

2 Completa le frasi con i verbi dati.

> grattugeresti ◆ suonereste ◆ guardereste ◆ ti divertiresti ◆ mi pettinerei
> accompagnerebbe ◆ comprerebbe ◆ preferirebbero

1. _Guardereste_ un film stasera? All'*Ariston* il martedì il biglietto costa 5 euro.

2. Ragazzi, _suonereste_ questa canzone alla festa della scuola?

3. Per loro è difficile trovare parcheggio in centro: _preferirebbero_ venire in autobus.

4. Tesoro, _grattugeresti_ le carote per l'insalata?

5. _Mi pettinerei_ come quel cantante famoso, ma ho i capelli troppo corti.

6. Perché non vuoi venire alla festa di Sonia? _Ti divertiresti_ un sacco!

7. Signora Maria, va in farmacia? _Comprerebbe_ le medicine anche per me?

8. Michele ci _accompagnerebbe_, ma ha una macchina a due posti!

3 Completa con i verbi al condizionale.

1. Vi _proporrei_ (proporre, io) di ascoltare un vecchio successo della Pausini.

2. _Preferiremmo_ (Preferire, noi) ascoltare le nuove tendenze musicali italiane.

3. _Dovrebbero_ (Dovere, loro) controllare di più i social media!

4. Al tuo posto, non _saprei_ (sapere, io) proprio cosa fare.

5. Ragazzi, non _avreste_ (avere) voglia di fare una passeggiata?

6. In queste foto siamo sempre poco naturali... Ne _vorremmo_ (volere) una spontanea.

7. Enrico e Nicol _sarebbero_ (essere) felici di ospitarci nella loro villa al mare.

4 Completa con le forme del condizionale. Nella colonna viola troverai
il nome dell'artista romano nella foto.

1. *rimanere*, 1ª persona singolare
2. *dare*, 3ª persona plurale
3. *andare*, 2ª persona sing.
4. *mangiare*, 1ª persona sing.
5. *essere*, 1ª persona plur.
6. *venire*, 2ª persona plur.
7. *vivere*, 2ª persona plur.
8. *cucinare*, 1ª persona sing.
9. *potere*, 2ª persona sing.

1	R	I	M	A	R	R	E	I	
2	D	A	R	E	B	B	E	R	O
3	A	N	D	R	E	S	T	I	
4	M	A	N	G	E	R	E	I	
5	S	A	R	E	M	M	O		
6	V	E	R	R	E	S	T	E	
7	V	I	V	R	E	S	T	E	
8	C	U	C	I	N	E	R	E	I
9	P	O	T	R	E	S	T	I	

5 Completa le frasi con il condizionale dei verbi. Attenzione: ci sono 2 verbi in più!

preferire ◆ *bere* ◆ *tradurre* ◆ *ricordarsi* ◆ *andare* ◆ *tornare*
venire ◆ *cadere* ◆ *prendere* ◆ *stare* ◆ *essere*

1. ....*Tradurresti*.... tu questo articolo? Io proprio non ho tempo...
2. No, sono sicura, non l'ho mai incontrato... ....*Mi ricorderei*.... un ragazzo così carino!

3. Chiara non si sente bene e dice che ....*starebbe*........... volentieri a casa oggi.
4. ....*Saresti*........... felice di rivedere il tuo ragazzo? Al posto tuo,
   ....*prenderei*........... subito un treno per andare da lui!
5. Clizia ....*berrebbe*........... un bicchiere di vino, ma deve guidare.
6. Mia madre ....*tornerebbe*........... volentieri in vacanza a Lisbona, ma mio
   padre non è d'accordo!
7. Sara ....*verrebbe*........... a trovarci a Palermo, ma non ha molti giorni di ferie.
8. Ma che dite?! ....*Preferireste*........... davvero vivere in una grande città? In mezzo
   allo smog? Nooo!

6 Qual è la funzione di queste frasi? Fai l'abbinamento e poi sottolinea i verbi al condizionale.
Attenzione: ci sono 2 frasi in più.

1. <u>Farei</u> volentieri un viaggio. *(b)*
2. Mi <u>passeresti</u> il sale? *(a)*
3. Chiederò una mano a Luca.
4. <u>Dovresti</u> provare le penne "Antonio"! Buonissime! *(c)*
5. Accompagnami al mare!
6. <u>Faresti</u> bene a prendere lezioni di matematica! *(c)*
7. Ti <u>dispiacerebbe</u> portare Marta a tennis? *(b)*

a Chiedere qualcosa in modo gentile

b Esprimere un desiderio

c Dare un consiglio

7 Fai l'abbinamento e completa i desideri con il condizionale dei verbi alla prima persona singolare.

 1 d

 2 e

 3 c

 4 a

 5 b

 6 f

a. _Leggerei_ tutto il pomeriggio!

b. Non _tornerei_ più a casa!

c. _Vorrei_ conoscere il mio giocatore preferito...

d. _Viaggerei_ in tutto il mondo!

e. Non _smetterei_ più di giocare!

f. _Mangerei_ una torta intera!

> leggere
> volere
> mangiare
> smettere
> tornare
> viaggiare

8 Fai le domande in modo gentile, come nell'esempio.

Non mi sento bene. (accompagnare me, dottore) → *Mi accompagneresti dal dottore?*

1. Aspetto un pacco molto importante. (chiamare me, quando arrivare)
   Signora Maria, _mi chiamerebbe quando arriva_ ?

2. Questo caffè è troppo amaro. (passare a me, zucchero)
   Massimo, _mi passeresti lo zucchero_ ?

3. Devo studiare. (spegnere radio)
   Sofia, _spegneresti la radio_ ?

4. Non capisco questa parola. (prestare a me, tuo dizionario)
   Anna, _mi presteresti il tuo dizionario_ ?

5. Telefono a casa di Lia. (potere parlare, Lia, per favore)
   Buongiorno, _potrei parlare con Lia, per favore_ ?

6. Non conosco bene la città. (sapere dove essere Duomo)
   Buongiorno, _saprebbe dov'è il Duomo_ ?

Duomo, Orvieto

9 Completa i consigli (a-f) con il condizionale dei verbi e abbinali alle frasi (1-6), come nell'esempio.

1. Siamo appassionati di chitarra. (*c*)
2. Abbiamo un esame difficilissimo. (*e*)
3. Ho litigato con la mia ragazza. (*d*)
4. Ho molto freddo! (*a*)
5. Non sto bene, ho 38 di febbre. (*f*)
6. Alba mi ha invitato al cinema, ma non ho voglia di uscire. (*b*)

a. ....*Dovresti*.... (Dovere) metterti un maglione pesante.
b. Al posto tuo, le ...*proporrei*... (proporre) di vedere un film a casa.
c. ....*Potreste*.... (Potere) prendere lezioni.
d. ....*Faresti*.... (Fare) bene a chiederle scusa.
e. Un'idea ....*sarebbe*.... (essere) iniziare subito a studiare. Cosa ne dite?
f. Io, al posto tuo, ...*berrei*.... (bere) un tè caldo e ....*andrei*.... (andare) a dormire.

10 Leggi i titoli dei giornali e riporta le notizie, come nell'esempio in blu.

1
L'ATTORE ARRIVERÀ AL FESTIVAL DOMANI.

2
MARATONA: CI SARÀ PIÙ TRAFFICO NEL WEEK-END

3
IL MINISTRO SPOSERÀ LA SUA COMPAGNA

4
FINISCONO I BIGLIETTI PER IL CONCERTO DI FEDEZ!

5
Laura girerà il suo prossimo video al Colosseo!

Secondo la stampa...

1. *l'attore arriverebbe al Festival domani.*
2. *ci sarebbe più traffico* nel week-end a causa della maratona.
3. *il ministro sposerebbe la sua compagna* ad aprile.
4. *finirebbero i biglietti* per il concerto di Fedez.
5. la famosa cantante *girerebbe il suo prossimo video al Colosseo*!

11 La vacanza ideale. Completa il testo con il condizionale semplice dei verbi.

Qual è la migliore vacanza per te? Dipende dal lavoro che fai!

Secondo uno studio dell'associazione EURODAP, ogni lavoro ....*avrebbe*.... (1. avere) la sua vacanza ideale. Infatti, da momento di relax e riposo, se non scegliamo quella giusta per noi, la vacanza ....*potrebbe*.... (2. potere) diventare molto stressante! Vediamo qualche suggerimento.

Un manager, ad esempio, ...*dovrebbe*.... (3. dovere) passare l'estate su una spiaggia poco frequentata; l'ideale per l'impiegato, invece, ...*sarebbe*.... (4. essere) divertirsi in un villaggio che propone molte attività diverse. Perché? In questo modo il manager ....*sceglierebbe*.... (5. scegliere) liberamente cosa fare, senza pensare a cosa ....*dovrebbero*.... (6. dovere) fare gli altri; le attività del villaggio turistico, invece, ...*offrirebbero*.... (7. offrire) occasioni per conoscere nuovi amici e provare nuovi sport a chi, durante l'anno, fa una vita un po' noiosa.

E per commessi e casalinghe? I primi ...*starebbero*... (8. stare) meglio nella natura, lontano dai saldi di fine stagione; per le seconde ...*consiglierebbero*.. (9. consigliare, loro) un albergo all inclusive, magari con la SPA!

adattato da *www.lastampa.it*

12 Fai l'abbinamento.

1. Avrebbero partecipato al programma, (*e*)
2. I ragazzi sarebbero venuti alla partita, (*c*)
3. Carlo avrebbe visitato il museo, (*d*)
4. Enrico si sarebbe trasferito in Canada, (*a*)
5. Lo so, avreste fatto un altro giro, (*f*)
6. È vero, mi ricordo: avresti comprato quello zaino, (*b*)

a. ma non ha trovato lavoro.
b. ma eri rimasto senza soldi.
c. ma non hanno trovato biglietti.
d. ma il lunedì è chiuso.
e. ma non li hanno presi.
f. ma non avevate tempo.

Giochi

13 Abbina le frasi alle foto e poi completale con il condizionale composto.

 1 *f*   2 *c*   3 *a*   4 *d*

 5 *e*

 6 *b*

 7 *g*

a. ......*Avrebbero fatto*......... (fare, loro) il bagno, ma il tempo era brutto!

b. ...*Avrebbero parcheggiato*... (parcheggiare, loro) meglio, ma avevano fretta.

c. ......*Avrei festeggiato*......... (festeggiare) con tanti amici, ma sono rimasto in ufficio fino a tardi.

d. L' ......*avrebbe mangiata*......... (mangiare), ma era a dieta.

e. Non ....*mi sarei fermata*........ (fermarsi), ma mi faceva male il ginocchio.

f. ....*Sareste arrivati/e*......... (arrivare, voi) in orario, ma c'era troppo traffico!

g. ....*Avrei preferito*.......... (preferire, io) un regalo diverso...

14 Rispondi alle domande usando il condizionale semplice o composto del verbo in blu.

1. • Hai avuto paura in moto? • Ne ....*avrei avuta*.........., ma Federico andava piano.

2. • Alla fine, l'hai comprato il vestito? • L'....*avrei comprato*....., ma non ho soldi.

3. • Perché non hai spento il computer? • L'..........*avrei spento*.........., ma aspettavo un'email.

4. • Perché non hai invitato Silvia a ballare? • L'........*avrei invitata*........, ma non so ballare.

5. • Alla fine andrete in Sardegna? • Ci .....*saremmo andati*....., ma c'è lo sciopero delle navi.

15 Completa con il condizionale composto.

1. Domenica ....*avrei voluto*.......... (volere) uscire, ma ho dovuto pulire il balcone.
2. ....*Avremmo visto*.......... (Vedere) volentieri la partita, ma ci siamo addormentati sul divano.
3. Al cinema ....*sarebbe venuta*.......... (venire) anche mia sorella, ma aveva già visto questo film.
4. Mi ....*sarebbe piaciuto*.......... (piacere) andare ad Amsterdam con gli zii.
5. Vi ....*avremmo aspettati*.......... (aspettare), ma era già molto tardi e siamo andati via.
6. Le ragazze ....*avrebbero cucinato*.......... (cucinare) volentieri, ma non hanno avuto tempo.
7. Buona la torta, no? Lo so: ne ....*avresti mangiato*.......... (mangiare) volentieri un'altra fetta!
8. Secondo i giornali, il ladro ....*sarebbe entrato*.......... (entrare) dalla finestra del bagno.

16 Quale condizionale? Scegli il tempo adeguato.

1. È un periodo stressante, sono così stanco che <u>vorrei</u>/sarei voluto partire subito per le vacanze.
2. Secondo te, <u>sarebbe</u>/sarebbe stata questa la canzone più bella del momento?
3. Mi piacerebbe/<u>Mi sarebbe piaciuto</u> vedere il film della Comencini, ma non lo davano più al cinema.
4. L'altro ieri dovrei/<u>sarei dovuta</u> andare a un incontro di lavoro importante.
5. Mi date una mano? Con il vostro aiuto <u>finirei</u>/avrei finito prima.
6. Io <u>prenderei</u>/avrei preso un altro gelato. Lo volete anche voi?

17 Rispondi alle domande con il condizionale semplice o composto, come nell'esempio.

• Perché non hai comprato il libro di Camilleri?
• *L'avrei comprato, ma non l'ho trovato* (non trovare).

1. • Come mai siete andati via così tardi?
   • *Saremmo andati via prima, ma ci divertivamo molto* (prima, divertirsi molto)!

2. • Alla fine, hai incontrato Tiziana a Milano?
   • *L'avrei incontrata, ma era molto occupata* (lei essere molto occupata).

3. • Hai guardato il nuovo programma della Rai ieri sera?
   • *L'avrei guardato, ma non si accendeva la TV* (non accendersi TV).

4. • Inviterai Ermanno alla tua laurea?
   • *L'inviterei/L'avrei invitato, ma abbiamo litigato* (noi avere litigato).

5. • Vendrinelli giocherà la partita di domani?
   • *Giocherebbe/Avrebbe giocato, ma si è fatto male* (farsi male).

6. • Quando devi girare il video per il tuo blog di cucina?
   • *Dovrei girarlo oggi pomeriggio* (oggi pomeriggio).

18 Da futuro a futuro nel passato. Completa le frasi come nell'esempio.

So che Daniela lo farà. → Sapevo che Daniela *l'avrebbe fatto*, mi fido di lei.

1. Sono certo che realizzerai il tuo sogno!
   Ero certo che *avresti realizzato* il tuo sogno!
2. So che vi dimenticherete di chiamarci!
   Sapevo che *vi sareste dimenticati/e* di chiamarci!
3. Chissà se lo rivedrò!
   Mi chiedevo se *l'avrei rivisto*...
4. Sono sicura che da grande diventeranno medici!
   Ero sicura che i miei figli *sarebbero diventati* medici!
5. Le ragazze arriveranno in ritardo, come al solito.
   Sapevo che le ragazze *sarebbero arrivate* in ritardo, ma non dopo tre ore!
6. Sono certo che Alfonso mi darà una mano con la ricerca!
   Uffa! Credevo che Alfonso mi *avrebbe dato* una mano...

19 Completa le frasi con il condizionale composto dei verbi dati.

iniziare ♦ farsi ♦ sposarsi ♦ mandare (loro)
arrivare (voi) ♦ andare ♦ venire ♦ chiedere

1. Vi avevo promesso che *saremmo andati* in gita, ma purtroppo oggi devo lavorare.
2. Te l'avevo detto che con la metro *sareste arrivati* prima!
3. Abbiamo deciso che *ci saremmo sposati* un anno fa.
4. Il nuovo reality *sarebbe iniziato* a luglio, ma ci sono stati problemi con i protagonisti.
5. La sposa non ha riconosciuto subito lo sposo: non sapeva che *si sarebbe fatto* la barba per il matrimonio! Che ridere!
6. Non sapevo che *saresti venuto* anche tu stasera... ti *avrei chiesto* di accompagnarmi!
7. Ho sentito che *avrebbero mandato* in onda il concerto del Primo Maggio su Rai3.

20 Completa il testo: negli spazi rossi metti le preposizioni, negli spazi blu le parole date.

gruppi ♦ spettacolo ♦ televisione ♦ attualità ♦ microfono ♦ cantante

Dal (1) 1990 nel giorno della Festa dei Lavoratori si svolge *a* (2) Roma, *in* (3) piazza San Giovanni, il Concerto del Primo Maggio. *All'* (4) evento partecipano molti *gruppi* (5) italiani della scena musicale indipendente e qualche *cantante* (6) internazionale. Ogni artista canta tre o quattro delle sue canzoni più famose e poi lascia il *microfono* (7) al successivo. Il "Concertone" del primo maggio non è solo un concerto dove ascoltare i propri cantanti preferiti, ma è un'occasione per parlare *di/dei* (8) temi di *attualità* (9): la pace, il terrorismo, i diritti umani e i diritti dei lavoratori. La *televisione* (10) manda in onda tutto lo *spettacolo* (11), dalle due del pomeriggio alle undici *di* (12) sera.

adattato da *www.regioni-italiane.com*

21 Indicativo o condizionale? Scegli l'alternativa giusta.

1. <u>Vorrei</u>/Ho voluto scrivere un'email a Franco, ma non ho mai tempo.

2. Ti <u>avrei invitato</u>/avevo invitato da me, ma ho appena cambiato casa ed è tutto sottosopra!

3. Piero non ha dovuto/<u>avrebbe dovuto</u> lavorare tanto ieri sera: si è svegliato con il mal di testa.

4. Ero sicura che Marta <u>sarebbe rimasta</u>/rimarrà a cena! Ho fatto il tiramisù!

5. <u>Siamo andati</u>/Saremmo andati a vedere lo spettacolo di Maurizio Crozza. Davvero divertente!

6. Tania, <u>faresti</u>/facevi un caffè, per favore?

7. Da piccoli ci piacerebbe/<u>ci piaceva</u> nuotare.

22 Scegli la frase adatta e completa i dialoghi con il condizionale composto. Attenzione ai pronomi!

piacerti i primi ◆ rimanerci un'altra settimana
metterla lo stesso ◆ prendere il treno ◆ sapere cosa rispondere

1. ● Quando arriva Teresa?
   ● Tra poco, credo. Ha detto che _____*avrebbe preso il treno*_____ delle sette.

2. ● Non ho messo la camicia gialla perché non è abbastanza elegante.
   ● Io, al posto tuo, _____*l'avrei messa lo stesso*_____!

3. ● Quella domanda era molto difficile.
   ● È vero, io non _____*avrei saputo cosa rispondere*_____.

4. ● Come è andata ieri sera la cena al ristorante?
   ● Bene! _____*Ti sarebbero piaciuti i primi*_____! La prossima volta ci andiamo insieme.

5. ● Come ti sei trovata a Roma?
   ● Benissimo, Roma è una città bellissima. Io _____*ci sarei rimasta un'altra settimana*_____!

23 Il labirinto. Per uscire segui solo i verbi al condizionale.

4 Completa l'email con il condizionale semplice o composto.

Caro Giovanni,
_____*avrei voluto*_____ (1. volere, io) salutarti meglio prima della tua partenza! _____*Avresti potuto*_____
(2. Potere, tu) iniziare una settimana dopo, no? Così _____*avresti avuto*_____ (3. avere, tu) più tempo
per prepararti... Ho sempre pensato che per te _____*sarebbe arrivata*_____ (4. arrivare) un'occasione
così! Complimenti! Certo che il Canada è lontano! Non tutti al posto tuo _____*avrebbero accettato*_____
(5. accettare) un lavoro lì! Mi _____*piacerebbe*_____ (7. piacere) venire a trovarti, magari in primavera!
Che ne dici? _____*Sarebbe*_____ (8. Essere) bellissimo! _____*Potresti*_____ (9. Potere, tu)
prendere dei giorni di vacanza e _____*visiteremmo*_____ (10. visitare) insieme il Paese!
Che cosa ne pensi? Intanto buon viaggio e buon inizio!

Un abbraccio, Valeria

5 Lavori originali. Completa il testo con il condizionale semplice.

Indeed, sito numero uno al mondo per chi cerca e offre lavoro, ha fatto la
classifica dei 10 lavori più originali di questo mese.
Secondo il sito, al primo posto _____*ci sarebbe*_____ (1. esserci) il manager
di ciclovia, cioè di una strada per biciclette; _____*seguirebbe*_____ (2. seguire)
un altro lavoro particolare: insegnante di *manga*, il fumetto giapponese. A
Villanova, in Friuli, poi, _____*cercherebbero*_____ (3. cercare, loro) guide turistiche
per la famosa grotta; mentre a Firenze _____*troverebbero*_____ (4. trovare)
lavoro gli orologiai, cioè chi sa fare gli orologi.
Nella classifica non _____*mancherebbero*_____ (5. mancare) i lavori "evergreen"
come barbiere, cioè chi taglia la barba e i capelli agli uomini, e barista, ma
_____*troveremmo*_____ (6. trovare, noi) anche gli artisti: _____*cercherebbero*_____
(7. cercare, loro), infatti, "Houdini artist"... _____*vorreste*_____ (8. volere,
voi) sapere cosa sono, eh?
_____*Dovremmo*_____ (9. Dovere, noi) chiederlo a loro, ma è impossibile trovarli!

Grotta di Villanova

6 a Ascolta e scegli l'alternativa corretta.

1. All'inizio la figlia ascolta musica
   a. alla radio | (b.) con le cuffie | c. alla TV
2. Per il padre, la figlia ascolta canzoni che
   a. hanno melodia | b. sono brutte | (c.) sono
   tutte uguali
3. Le canzoni che piacciono al padre, alla figlia
   (a.) piacciono | b. non piacciono per niente
   c. non ricordano nulla
4. Di Vasco Rossi alla figlia piacciono
   a. i versi | b. il ritmo | (c.) i versi e la musica
5. Padre e figlia ballavano assieme
   a. *Vita spericolata* | (b.) *Vedo nero*
   c. *Guerriero*

b Ascolta di nuovo e completa la scheda.

ARTISTA	CANZONE
Vasco Rossi (1) →	*Vivere* (2) *Vita spericolata*
Ligabue →	*Piccola stella senza cielo* *Certe notti* (3)
883 →	*Sei un mito* (4)
Lucio Battisti →	*E penso a te* (5)
Zucchero (6) →	*Vedo nero*
Mengoni →	*Guerriero* (7)

Test finale

A Completa con il condizionale semplice e composto.

Secondo una ricerca, le vendite dei CD ...*continuerebbero*... (1. continuare) a calare. Infatti, ...*sarebbero*... (2. essere) molte di più le persone che ...*cercherebbero*... (3. cercare) le canzoni dei loro cantanti preferiti su YouTube o che ...*farebbero*... (4. fare) abbonamenti a servizi di musica online. Se in passato la causa *sarebbe potuta essere* (5. poter essere) l'alto costo dei CD, da diversi anni non è più così. Infatti, le persone ...*ascolterebbero*... (6. ascoltare) musica in streaming soprattutto per altri due motivi: il supporto e la mobilità. Ormai la cosa più importante ...*sembrerebbe*... (7. sembrare) essere la possibilità di ascoltare la musica ovunque. Ma c'è anche un altro motivo: non possiamo più rinunciare all'abitudine di commentare le canzoni e condividerle sui social media.

B Scegli l'alternativa corretta.

1. • ..*a*.. (1) venire al cinema stasera?
   • Preferirei un'altra volta, oggi sono molto stanco e ..*c*.. (2) in sala.
   (1) a. Ti piacerebbe   (2) a. si addormenterebbero
       b. Andresti a   b. mi addormenterebbe
       c. Sarebbe bello   c. mi addormenterei

2. • ..*b*.. (1) più tardi? Sono in ufficio
   • Certo! Va bene alle 8? Oppure ..*a*.. (2) più tardi?
   (1) a. Ci vorremmo telefonare (2) a. preferiresti
       b. Potresti telefonarmi   b. preferirei
       c. Dovresti telefonarmi   c. avrei preferito

3. • Luca, ..*c*.. (1) un po' di ginnastica... Un'altra idea ..*a*.. (2) andare in piscina. Cosa ne pensi?
   (1) a. farei   (2) a. sarebbe
       b. faresti   b. avrebbe
       c. dovresti fare   c. potrebbe

4. Secondo la stampa, il ministro ..*a*.. (1) un viaggio all'estero dove ..*b*.. (2) un collega americano.
   (1) a. avrebbe fatto   (2) a. sarebbe incontrato
       b. sarebbe fatto   b. avrebbe incontrato
       c. farebbe   c. incontrerebbero

5. Roberto, stamattina dal supermercato ..*c*.. (1) il caffè, ma l'ho dimenticato. ..*b*.. (2) tu a comprarlo?
   (1) a. comprerei   (2) a. Potrebbe passare
       b. l'avrei comprato   b. Passeresti
       c. avrei dovuto comprare   c. Saresti potuto passare

6. E chi ..*b*.. (1) i computer all'università? Luigi?! No! Come ..*b*.. (2)? È stato tutto il giorno con Nina, la sua ragazza...
   (1) a. ruberebbe   (2) a. sarebbe fatto
       b. avrebbe rubato   b. avrebbe fatto
       c. ruberebbero   c. farebbe

7. _b_ (1) a prendere, ma quando _c_ (2) in ufficio mi hanno detto che eri già uscito.

   (1) a. Ti passerei   (2) a. avrei telefonato

         b. Ti sarei passato   b. telefonerei

         c. Ti vorresti passare   c. ho telefonato

8. _b_ (1) andare in Cina l'anno prossimo! Sono sicuro che _c_ (2) il tempo a mangiare e a fare foto!

   (1) a. Sarà stato bello   (2) a. avrò passato

         b. Sarebbe bello   b. avrei passato

         c. È stato bello   c. passerei

9. L'ideale _a_ (1) andare in Sud America a Natale: mentre qui fa freddo lì _b_ (2) 25 gradi!

   (1) a. sarebbe   (2) a. dovrebbero esserli

         b. è stato   b. ci dovrebbero essere

         c. sarà   c. ci sono stati

10. • Papà, mi avevi promesso che _c_ (1) la bicicletta nuova. Ma quando andiamo al negozio?

     • Sì, hai ragione! Che _b_ (2) di andarci domani?

   (1) a. mi compreresti   (2) a. si direbbe

         b. dovresti comprarmi   b. ne diresti

         c. mi avresti comprato   c. ci diresti

C Risolvi il cruciverba.

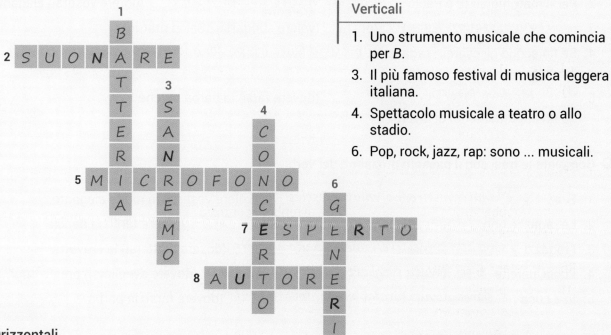

Verticali

1. Uno strumento musicale che comincia per *B*.
3. Il più famoso festival di musica leggera italiana.
4. Spettacolo musicale a teatro o allo stadio.
6. Pop, rock, jazz, rap: sono ... musicali.

Orizzontali

2. Il verbo degli strumenti musicali.
5. Lo usiamo per far sentire meglio la voce.
7. Una persona che sa molte cose su un argomento.
8. Chi scrive testi: libri, canzoni...

Risposte giuste: .... /35

Giochi

4° test di ricapitolazione

Quaderno degli esercizi

A Completa con la forma giusta dei verbi dati. Attenzione al tempo del verbo!

1. Quando _vi siete conosciuti_ (conoscersi) tu e tuo marito?
2. Signorina, _si trova_ (trovarsi) bene a Matera? Le piace stare qui?
3. Che cosa hai? _Ti senti_ (Sentirsi) male?
4. Domani _mi alzerò/mi alzo_ (alzarsi) presto anche se non lavoro.
5. Dottoressa, se _si copre/coprirà_ (coprirsi) bene, non avrà freddo.
6. _Ci annoiamo_ (Annoiarsi) quando non abbiamo niente da fare.
7. Paolo e Mario studiavano insieme e _si aiutavano_ (aiutarsi) molto.
8. Saremmo andati allo spettacolo delle dieci e mezzo, ma i ragazzi _si sono addormentati_ (addormentarsi) sul divano. .... /8

B Completa le frasi con il presente dei verbi dati.

1. Quando vado a lezione, _mi devo svegliare/devo svegliarmi_ (dovere svegliarsi) alle 6.
2. Per il matrimonio tu e Paolo _vi potete vestire/potete vestirvi_ (potere vestirsi) eleganti?
3. _Ti vuoi sbrigare/Vuoi sbrigarti_ (volere sbrigarsi)? Sei in ritardo!
4. Se finiscono gli esami, i ragazzi _si possono laureare/possono laurearsi_ (potere laurearsi) a maggio.
5. _Mi devo fare/Devo farmi_ (dovere farsi) la barba perché ho un appuntamento di lavoro. .... /5

C Completa le frasi con il passato prossimo dei verbi.

1. Eva _si è voluta vestire/ha voluto vestirsi_ (volere vestirsi) in modo elegante.
2. Le ragazze non _si sono potute fare/hanno potuto farsi_ (potere farsi) la doccia.
3. I ragazzi _si sono dovuti mettere/hanno dovuto mettersi_ (dovere mettersi) la cravatta!
4. Lucia, perché _ti sei dovuta svegliare/hai dovuto svegliarti_ (dovere svegliarsi) presto oggi?
5. Io e Luca _ci siamo dovuti fare/abbiamo dovuto farci_ (dovere farsi) la barba. .... /5

D Completa con l'imperativo.

1. Ragazzi, _mettete_ (mettere) in ordine la vostra camera!
2. Se mi vuoi aiutare, _prendi_ (prendere) una penna e _scrivi_ (scrivere)!
3. Signori, _entrate_ (entrare), vi prego!

4. Per favore, quando esci, _____chiudi_____ (chiudere) la porta e _____spegni_____ (spegnere) il pc!
5. Marcella, non _____bere_____ (bere) altro caffè, _____bevi_____ (bere) un'aranciata.
6. Antonio, ti prego, non _____mangiare_____ (mangiare) troppo la sera!
7. Bambini, non _____fate_____ (fare) arrabbiare la zia!   ..../10

E Rispondi alle domande usando i pronomi indiretti.

1. • Cosa ha portato il cameriere a quel signore?
   • _____Gli ha portato_____ il tiramisù.
2. • Perché non mi rispondi all'email?
   • Non _____ti rispondo_____ perché non ho tempo!
3. • Che cosa vi hanno portato i vostri amici dalla Spagna?
   • _____Ci hanno portato_____ una maglietta!
4. • Ti hanno telefonato per partecipare al talent show?
   • No, non ancora: _____mi telefoneranno_____ sicuramente la settimana prossima!
5. • Andrea, puoi dare una mano a tua madre?
   • No, non _____le posso_____ dare una mano perché devo studiare.
6. • Hai telefonato a Vincenzo?
   • _____Gli ho telefonato_____ tre volte, ma non risponde.   ..../6

F Completa le frasi con la forma impersonale dei verbi dati.

1. La prima domenica del mese _____si entra_____ (entrare) gratis nei musei.
2. Quando si fa tardi la sera, _____si dorme_____ (dormire) male.
3. Al ristorante "Il balcone fiorito" _____si mangia_____ (mangiare) molto bene!
4. Qualche volta, quando si ha fretta, _____ci si veste_____ (vestirsi) male.
5. Se _____ci si diverte_____ (divertirsi), il tempo passa in fretta!   ..../5

G Quale condizionale? Scegli il tempo adeguato.

1. <u>Partirei</u>/Sarei partito subito per le vacanze, ma non ho finito di scrivere il libro.
2. Secondo te, <u>sarebbe</u>/sarebbe stata questa la rivista più letta in Italia in questo momento?
3. Mi piacerebbe/<u>Mi sarebbe piaciuto</u> mangiare un'altra fetta della sua torta... ma ero a dieta!
4. <u>Mi aiuteresti</u>/Mi avresti aiutato a fare le pulizie? La mamma arriva alle 3 e sono quasi le 2!
5. L'altro giorno andrei/<u>sarei andata</u> a bere il caffè con Greta, ma lei non poteva.
6. <u>Dareste</u>/Avreste dato una mano alla nonna? Se la aiuterete, vi farà una torta!   ..../6

Risposte giuste: ..../45

Test generale finale

A Leggi le frasi, guarda le immagini e fai l'abbinamento. Attenzione: ci sono 3 immagini in più.

1. Il segreto per stare bene ed essere felici? Fare sport!

2. Migliaia di canali e tanti contenuti nuovi. Per vedere la TV non serve più il televisore!

3. I locali più romantici ed eleganti di Milano per la cena di San Valentino con il tuo ragazzo!

4. Aperta la nuova linea della metro! Finalmente sarà possibile arrivare in centro senza prendere la macchina!

5. Basta fare la fila alla posta e in banca! Ai tuoi documenti ci pensiamo noi!

 a 3
 b
 c 5
 d

 e 4
 f 1
 g
 h

.... /5

B Abbina domande e risposte. Attenzione: ci sono 4 risposte in più.

1. Posso offrirti un caffè? *(j)*
2. Dov'è Lucia? *(g)*
3. Perché non siete venuti a lezione? *(c)*
4. Bella la tua borsa! *(f)*
5. Matteo, quando finirai gli esami? *(b)*
6. Mi scusi, per andare in centro? *(e)*
7. Hai comprato il latte? *(d)*
8. Sei straniera? *(h)*

a. Mi dispiace, era chiuso.
b. Se tutto va bene, a marzo.
c. Siamo dovuti andare dal dottore.
d. No! L'ho dimenticato! Accidenti!
e. Deve andare sempre dritto.
f. Ti piace? L'ho presa in un negozio in centro!
g. Mah, starà dormendo!
h. Sì, sono francese. E tu?
i. L'autobus numero 40 è in ritardo.
j. Grazie, ma ne ho già preso uno.
k. Sì, vivo in via Panfili.
l. Sì, c'era anche di cotone!

.... /8

C Leggi il testo e rispondi alle domande. Non è necessario capire ogni parola.

Famiglie a Villa Borghese

Questo itinerario ci porta alla scoperta di una grande area verde ideale per tutta la famiglia: Villa Borghese. Situata nella parte nord di Roma, la villa accoglie ogni giorno un numero enorme di romani e turisti grazie alla presenza di attrazioni diversificate che soddisfano i gusti di tutti. Per rendere la visita alla villa più piacevole e per godere a pieno di tutte le attrazioni presenti, vi consigliamo di programmare in anticipo le giornate e di affittare delle biciclette per gli spostamenti interni.

Come prima tappa, probabilmente più amata dai genitori che dai figli, sceglieremmo la splendida Galleria Borghese. La Galleria ospita una delle più grandi pinacoteche di Roma e una collezione di sculture del Bernini da non perdere! Vi ricordiamo che, se non volete fare la fila in biglietteria, potete prenotare la visita online qualche giorno prima!

La mattinata all'insegna della cultura e della storia dell'arte è stata probabilmente impegnativa. Per bilanciare, il pomeriggio sarà dedicato allo svago e al divertimento... Nei pressi di piazza di Siena trovate la ludoteca "Casina di Raffaello": qui il personale specializzato intratterrà i bambini con dei laboratori creativi. Mentre i piccoli sono impegnati, i genitori possono rilassarsi e gustare un caffè nella caffetteria della Casa del Cinema poco distante.

Se, invece, i vostri bambini sono amanti degli animali suggeriamo una bella passeggiata all'interno del Bioparco. Il giardino zoologico di Roma è di solito una meta molto amata da tutti i bambini!

Infine, se la giornata volge al brutto tempo, è possibile ripiegare sul "Cinema dei Piccoli": il pomeriggio il cinema propone una programmazione dedicata ai bambini.

adattato da *www.060608.it*

1. Villa Borghese è
   a. un grande parco tematico per bambini
   b. un'area verde a nord di Roma per turisti
   c. un parco per turisti e non

2. Per visitare Villa Borghese
   a. è necessario più di un giorno
   b. bisognerebbe amare la scultura
   c. si consiglia di affittare delle biciclette

3. La Galleria Borghese
   a. è un'attrazione indicata per i bambini
   b. è uno dei musei più grandi di Roma
   c. è aperta solo la mattina

4. Alla "Casina di Raffaello"
   a. i bambini fanno attività creative
   b. i bambini possono giocare coi genitori
   c. si beve il caffè mentre si guarda un film

5. Il "Cinema dei Piccoli"
   a. è l'unica attrazione aperta quando piove
   b. offre dei film per bambini
   c. è un'alternativa per chi ama gli animali

.... /5

D Completa le frasi con la forma giusta dei verbi tra parentesi.

1. Signor Basile, vedo che non ....*si sente*........ (sentirsi) bene, perché non va a casa?

2. Ragazzi, ...*vi annoiate*........ (annoiarsi) a lezione? A me succede spesso!

3. Ieri sera siamo andati in un nuovo locale e ....*ci siamo divertiti*.... (divertirsi) un sacco!

4. Manuela ha detto che ....*si sarebbe tagliata*.... (tagliarsi) i capelli, ma non l'ha ancora fatto.

5. Per una coppia è importante ....*passare*........ (passare) le vacanze insieme.

6. Quando _ti sarai stancato_ (stancarsi, tu), potrai smettere di lavorare.

7. Luca e la sua ragazza _si sono lasciati_ (lasciarsi) dopo sette anni.

8. Ma non _vi potevate_ (potersi, voi) mettere d'accordo prima?!

.... /8

E Completa il testo: scegli una delle alternative (A, B, C).

I giochi di una volta

Il primo parco giochi vietato agli smartphone _A_ (1) in Sicilia, nei prossimi mesi, il primo parco giochi dove non _B_ (2) gli smartphone! Divieto di chattare, _A_ (3) sui social e navigare in internet!

L'idea _C_ (4) di un gruppo di genitori. Secondo il quotidiano locale, il progetto _B_ (5) circa 80mila euro e _B_ (6) avrebbero trovato già la metà.

All' _C_ (7) dovrete lasciare i vostri dispositivi elettronici in un piccolo armadio e un cronometro _A_ (8) i minuti che passerete _C_ (9) la tecnologia. «È un modo per tornare a stare insieme, a parlare con gli altri», spiegano i genitori, «ormai è sempre così: alla fermata _A_ (10) autobus, a casa, a una festa, stanno al telefono! _B_ (11) regalare un mondo nuovo ai nostri figli».

	A	B	C
1.	nascerà	sarà nato	è nato
2.	entravano	entreranno	saranno entrati
3.	stare	guardare	ascoltare
4.	aveva	sarà	è stata
5.	costavano	costerebbe	costerebbero
6.	l'	ne	ci
7.	inizio	uscita	entrata
8.	conterà	ha contato	avrà contato
9.	con	meno	senza
10.	dell'	di	sull'
11.	Vorrà	Vorremmo	Avremmo voluto

.... /11

F Completa le risposte. Usa i pronomi.

1. • Quando hai visto Gianna?
   • _L'ho vista_ ieri.

2. • Hai comprato quella maglietta blu?
   • No, _ne ho comprata_ una rossa.

3. • Avete cercato i miei occhiali?
   • _Li abbiamo cercati_, ma non ci sono in salotto!

4. • Signorina, mi hanno chiamato da casa?
   • Sì, direttore, _L'ha chiamata_ Suo figlio.

5. • Mi puoi accompagnare in macchina?
   • No, non _posso accompagnarti/ti posso accompagnare_, ho da fare.

6. • Quante magliette posso comprare con 50 euro?
   • _____Ne puoi comprare/Puoi comprarne_____ almeno tre.

7. • A chi devo consegnare questo pacco?
   • _____Lo devi consegnare/Devi consegnarlo_____ a Maurizio.

8. • Quali libri ti devo portare?
   • _____Mi devi portare/Devi portarmi_____ solo il libro di storia. .... /8

Risposte giuste: .... /45

Istruzioni dei giochi

Gioco Unità 0-5, Scale e serpenti, pagina 134

Giocate in 2 o in 2 piccoli gruppi. Inizia per primo il giocatore o il gruppo che lancia il dado e ottiene il numero più alto. A turno, tirate il dado e svolgete il compito proposto.
Se la risposta non è giusta, tornate indietro di due caselle. Dopo, il turno passa all'altro giocatore/gruppo. Se arrivate su una casella dove c'è l'altro giocatore/gruppo, andate a quella successiva.

Attenzione: se trovate una 🪜, salite; se trovate un 🐍, scendete!
Vince chi arriva per primo all'Arrivo, dopo la casella 36!

Gioco Unità 0-11, Gioco dell'oca, pagina 136

Giocate in 3 o in 3 piccoli gruppi. Inizia per primo il giocatore che lancia il dado e ottiene il numero più alto.

A turno, tirate il dado e svolgete il compito proposto.

Se la risposta non è giusta, tornate indietro di due caselle. Dopo, il turno passa al giocatore successivo.

Vince chi arriva per primo all'Arrivo, dopo la casella 37!

Attenzione alle caselle colorate: se trovate una casella verde, tirate di nuovo il dado; se trovate una casella rossa, tornate indietro di 2, 3 o 4 caselle, in base al numero indicato.

ARRIVO!

36 2 progetti per il futuro!

35 Completa: "Partiremo per le vacanze non appena ... (Finire) gli esami."

34 2 Feste italiane e 2 dolci tipici!

33 Vai a a pag. 50 del Libro dello student, attività C5, immagine A Dov'è la lampada?

25 Orario

da Lunedì a Venerdì dalle 08:20 alle 13:45

Sabato dalle 08:20 alle 12:45

Qual è l'orario della posta?

26 Passato prossimo di rimanere, terza persona singolare femminile.

24

23 Ricordi l'episodio video dell'unità 4? Cosa succede al bar?

22 Il contrario di corto?

21 Che ore sono?

20 Racconta brevemente la tua ultima vacanza: Dove sei stato? Con chi? Quando? Ti sei divertito?

27

28 BIGLIE

Chiedi un'informazione.

19

Che tempo fa?

Dove vai stasera?

CINEMA TEATRO ODE

2

PARTENZA!

Leggi e fai la somma: 30 + 25 = ?

1

Come ti chiami? Di' il tuo nome anche lettera per lettera.

3

Gioco unità 0-5

Cosa prendi?
Ordina al cameriere

32

31

Un tuo amico ti dice "Grazie". Cosa rispondi?

30

Presente indicativo del verbo fare!

Quando sei nato/a?

18

17

Descrivi l'aspetto fisico e il carattere di un tuo compagno di corso.

Parla di te alla classe: Chi sei? Come sei? Cosa fai? Ecc.

4

A pagina 25 del Libro dello studente c'è una foto di Michela. Descrivila.

12

2 stanze della casa!

13

11

3 parole che finiscono per –a.

10

14

I giorni della settimana. Parti da martedì!

9

15

Presente indicativo del verbo volere!

Immagina il dialogo tra i due.

Che cosa hai fatto domenica scorsa? Almeno 3 verbi!

8

16

7

Cosa fa questo ragazzo?

5

6

Hai 1 minuto. Cosa fanno gli italiani nel tempo libero?

Gioco unità 0-11

1

2

2 quotidiani italiani e 1 rivista!

20

21

22

Cosa guarderanno?
Immagina il dialogo.

23

Cosa hai fatto stamattina prima di uscire?
(almeno 2 azioni)

Chiedi qualcosa ad un compagno. Usa l'imperativo.

19

-2

34

Rispondi:
"A Luca piacciono le mele rosse?"
(sì, molto)

35

2 attori italiani e 2 titoli di film!

Vuoi comprare un mazzo di fiori dove vai?

18

Esprimi un desiderio realizzabile usando il condizionale.

33

Da piccolo/a...
continua la frase!
(almeno 2 azioni)

32

-4

31

17

2 prodotti tipici italiani e 2 città che hanno un mercato storico!

16

I DUE FRATELLI

2 primi, 2 secondi e 1 contorno!

15

Come è vestito quest'uomo?

14

Un tuo amic[o] ha vint[o] 100mila euro cosa gli dic[i]

3

4 cose che trovi sopra il tavolo del ristorante!

I tuoi amici li invitano al mare. Cosa rispondi?

5

Chiedi aiuto ad un /una compagno/a per un problema che hai.

6

Telefona ad un ristorante e prenota un tavolo per due.

4

25

I nomi delle stagioni!

-3

26

L'ultimo film che hai visto: cosa succedeva? Chi erano gli attori? Ti è piaciuto? Hai 1 minuto e mezzo!

7

-2

7

In vetrina c'è qualcosa che ti piace. Cosa dici al commesso?

ARRIVO!

Quanti tramezzini hai mangiato?

8

2 cose che beviamo e 2 cose che mangiamo a colazione!

0

Fai il plurale: C'è un libro sul tavolo".

29

Conoscerai il tuo/la tua cantante preferito/a. 2 domande per lui/lei!

28

Sei al cinema, davanti a te dei ragazzi parlano a voce alta: cosa dici?

Immagina il dialogo tra i due.

8

-3

12

Quanti caffè hai bevuto? (3 tazzine)

11

10

in + l' = ? Fai 2 frasi con questa preposizione articolata!

Unità	Pagina

[71']

Unità introduttiva

01	A4
02	A6a
03	A6b
04	C1, 2
05	C6a
06	C6b
07	D1, 2
08	D6a
09	D6b
10	E1, 2
11	E7a
12	E7b

Unità 1

13	Per cominciare 3, A1
14	C1, 2
15	D2
16	F1

Unità 2

17	Per cominciare 3, A1
18	B1
19	D1
20	F1
21	G1

Unità 3

22	Per cominciare 3, A1
23	B1, 2
24	E1
25	Quaderno degli esercizi

Unità 4

26	Per cominciare 3, 4, A1
27	D1, D2
28	Quaderno degli esercizi

Unità 5

29	Per cominciare 3, 4, A1
30	B2b
31	D1
32	D2
33	Quaderno degli esercizi

Unità 6

34	Per cominciare 2, 3, A1
35	C1, 2, 4

Unità 7

36	Per cominciare 3, 4, A1
37	C1, 2
38	D1
39	Quaderno degli esercizi

Unità 8

40	Per cominciare 3, 4, A1
41	B1
42	E1, 2
43	Quaderno degli esercizi

Unità 9

44	Per cominciare 2, 3, A1
45	B1, 2
46	D1
47	Quaderno degli esercizi

Unità 10

48	Per cominciare 2, 3, A1
49	B1
50	C1, 2
51	E1
52	F1, 2
53	Quaderno degli esercizi

Unità 11

54	Per cominciare 4, A1
55	B1
56	C1
57	Quaderno degli esercizi

Su i-d-e-e.it puoi ascoltare
in streaming la versione naturale
e rallentata del CD audio.